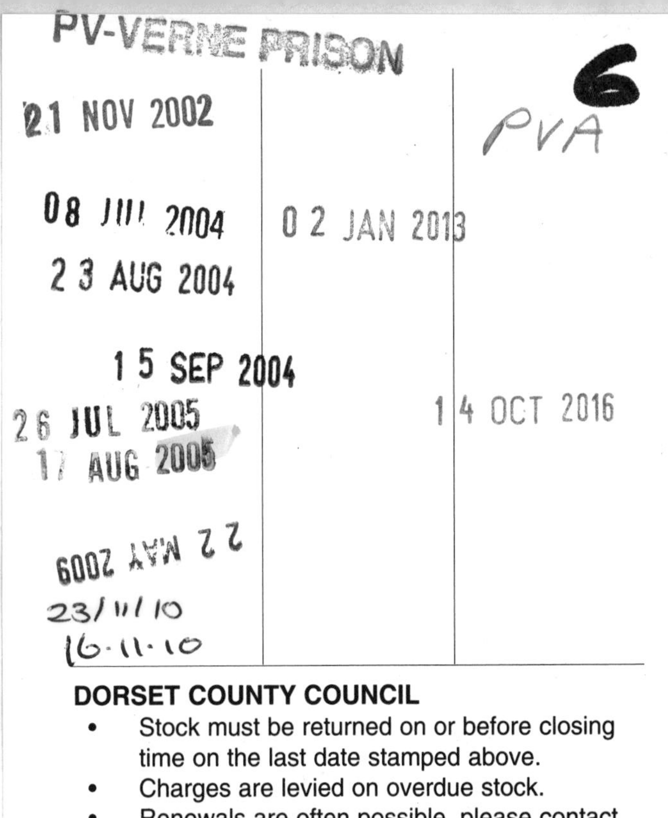

PERİHAN MAĞDEN

1960 yılının İstanbul'unda doğdu. Muhtelif iyi okullarda okudu. Hayata atılmamak üzere, anne evine dönüşler yaparak üç yıl Asya'da dolaştı. Muhtelif kötü işlerde çalıştı. Sonra can sıkıntısından ve aklına yapacak başka hiçbir şey gelmediğinden, ilk kitabını yazdı: *Haberci Çocuk Cinayetleri* 1991'de basıldı. 1994'de anne-çocuk-içimizdeki çocuk meselesini, sonsuza dek içinden atmak üzre -gerçekleşti de bu "proje"- yazdığı *Refakatçi* yayımlandı. 1995'te ise on yedi yaşından beri basılan şiirlerinden oluşan *Mutfak Kazaları*. Derken tesadüfi bir şekilde yazmaya başladığı *Pazartesi* dergisi yazıları kitap oldu: 1997'de çıkan *Hiç Bunları Kendine Dert Etmeye Değer mi?* Sonra kendisini *Radikal*'de köşe yazarı olarak buldu. Orada çıkan yazılarından da iki kitap çıkardı (sıkarak): *Kapı Açık Arkanı Dön ve Çık!* (1998) ile *Fakat Ne Yazık Ki Sokak Boştu* (1999). 2001'de yeni şiirlerinin de yer aldığı *Dünya İşleri* yayınlandı. Haydi hayırlısı!

PERİHAN MAĞDEN

Herkes Seni Söylüyor
Sahi Mutsuz musun?

§

Deneme **1**

Herkes Seni Söylüyor
Sahi Mutsuz musun?
Perihan Mağden

Kapak tasarım: Mithat Çınar

Birinci Basım: Haziran 2001
İkinci Basım: Temmuz 2001
ISBN: 975 - 316 - 841 - 1

Baskı ve Cilt: Melisa Matbaacılık

EVEREST YAYINLARI
Çatalçeşme Sokak No: 52/2 Cağaloğlu/İSTANBUL
Tel: 0 212 513 34 20-21 Fax: 0 212 512 33 76
Genel Dağıtım: Alfa, Tel: 0 212 511 53 03 Fax: 0 212 519 33 00
e-posta: everest@alfakitap.com
www.everestyayinlari.com

İÇİNDEKİLER

1. BÖLÜM

Mutlu Merlin ve Paspasta Uyuyan 3
İşi Kırın! 7
"I'll Survive"ın Sırrı 11
Heteroseksüel Erkeklerin Dansla İmtihanı 14
Marilyn ve Arthur 17
Annelik Günü 20
İlla Doğuracam: Bi Tane Daha Ben! 24
Colette Korkusu 28
Çıldırtıcı Kalabalıktan Uzakta 32
Gideni Özlemek 35
İntihar Eden Çocuklar Nereye Gider? 38

2. BÖLÜM

Fassbinder Mevzuu 43
Dolgu Baritonları/Militan Kemalistler/Güzel Medya 46
Plaketleri Nereye Soktunuz? 49
Bir Kalite Sembolü Olarak Mesut Yılmaz 53
Dünyanın Sekizinci Harikası 56
Metal Yorgunluğu 60
Büyük Türk Yalancısının Büyük Dönüşü! 64
Çantanın Kime Verildiği Meselesi Aydınlanıyor 68
İğrenç Mahlukat 72
Açık Ara 75
Sizin Ekonomi Guruz Kimm? 78
Eşşek Yerine Konmak 81
Maksatlı Analar, Maksatlı Çocuklar 85
Sesi Duyulmayanların Sesi 89

3. BÖLÜM

Türkan Şoray'ı Sevmek 95
Ofis Buhranları 99
Füsun Onur'da Çay Saati 102
Uzun Misafir 106
Kapandı 109
Nişantaşı Çocukları 112
Kim bu Nişantaşı Çocukları? 115
Şoför Tipleri 119
Trapez Sıkıntısı 122
Incommunicado Topraklarda 126
Terkedenler/Yapışanlar 130
ASİT Kurucu Çalışmaları Başlamıştı 134
Elleşmeyin! Sosyalleşmeyin! 137

4. BÖLÜM

Andy Warhol'un Kurabiye Kavanozları 143
Böyle Başa Böyle Tıraş 147
Mesajcı 150
Kadınlar Kimden Yana? 154
Semra Özal Şahsında Viplenmiş Türkiye 157
Bir Reklam (Uzun) Filmi 160
Otağtepe'de Maymun Krizi 163
Çekirdek Ailenin Yaldızları 167
Elit Bilmemne Sübyan Look 171
Ölüm'ün Mahremiyeti Yerine Pornografisi 175
La Belle İndifference 179
'Stud'mı, 'Sfeylezof' mu? 183
Bir Aşk Bir Düşünce 186

5. BÖLÜM

Mutlak Yazarlık 193
Plajlarımızda Erkek Varlığı 197
Altan Baba'nın Yeri'nde 200
Kavrama Özürlüler Enstitüsü 204
Ruh Kataraktı 208
İçimizdeki Hep O Aynı Karanlık Kuyu 212
Hayatımızın Pamuk Telleri 215
Suçluluk Duymak 219
Albümaltı 223
Neyi Yetiştiremedim Ben? 227

Herkes Seni Söylüyor

SAHİ MUTSUZ MUSUN?

MUTLU MERLİN VE PASPASTA UYUYAN

İşte yüzüne bakmaya doyamadığım, dünyanın gelmiş geçmiş en bakılası kadınının resmini istedim, kapağa. Ama nasıl göçmüş sıkıntıdan, nasıl içine, kendi dehşetine hapsolmuş!

57'de New York'ta çekilmiş kapaktaki resmi.

O resmini ne kadar seversem seveyim, ne kadar bakmalara doyamayayım şudur budur - bir de mutlu Marilyn olsun istedim kitapta.

Onu sırf öyle vermek, haksızlık olacak gibi geldi bana.

Daha genç, daha mutlu, dalgalarla oynaşan hali; gözleri neşeden oynaştan sulardan filan, kapalı. Marilyn işte, bir de böyle olsun istedim.

Benim öyle bir kavramım var: "Paspasında Uyumak" kavramım.

Kimin paspasında uyurdum ki ben? Bunu göze alırdım? Teslim olmanın en bariz/en grotesk halini?

Marilyn'in, bir de Carson Mc Cullers'ın. Bu ikisinin paspasında uyurdum.

Bu ikisine yalnız, duyduğum hayranlık kendimi aşıyor. Öyle bir şeyler...

"Paspasında uyurdun da, ne olurdu?" derseniz (yoksa siz benim İÇ sesim misiniz?), yalnızca kendimi onlara duyduğum beğenide/hayranlıkta/ayranlıkta yok edip silebilmek için değil. Ağır bir adanmışlık/bir nevi kulluk kölelik arzusuyla da, aynı zamanda.

Tabii her kul/köle olma arzusunda, esasında karşındakini esir almaya yönelik bir ölçüsüzlük mevcuttur, o başka.

Marilyn'in kendini öldürdüğü günden bir gün önce, evine kocaman bir tüylü oyuncak kaplan teslim edilir. Oyuncak kaplanı aldığı andan itibaren bombok olur Marilyn. Kendine gelemez.

Peluştan kaplanı aldıktan 24 saat sonra, ilaçlarla öldürecek kendini.

Brentwood'daki evinin bahçesinde, çimlerin üstünde "terk edilmiş" duran o kaplanı, intiharından sonra çekilmiş polis fotoğraflarında, dikkatli gözler fark eder.

Onu mahveden kaplan. Oyuncak kaplan. Oyundan kaplan. Mutlaka bir anlamı var. Dır.

"Blonde" romanında Marilyn'i yazan Joyce Carol Oates, yetimhanedeki günlerinde ona hediye edilen -sonra da ondan çalınan- oyuncak bir kaplanı anlatır uzun uzun. Bir prensle prensesin getirdiği.

Bir daire tamamlanır yani. Ne der ki o kaplan Marilyn'e? Terk edildiğini? Artık HİÇ istenmediğini? Aslında HİÇ sevilmediğini?

Böyle ağır şeyler söylemiş olmalı kaplan Marilyn'e. Çünkü Marilyn kaplandan itibaren, kendine gelemez.

İşte, PASPASTA UYUYAN burda devreye girer.

Kaplanı parçalar, un ufak eder.

Kaplanla ifade edilenleri, yalanlar.

Çimlerin üstünde taklalar atar.

Marilyn'i, kendi içinde kilitlendiği o hazin kafesten kaçırabilmek için, türlü maskaralıklar...

Paspasta Uyuyan, böyle bir gönüllü koruyucu/kurtarıcı/bela savıcı, köledir. Yalnızca, sevdiğinin gölgesinde varolmakla yetineceğini, iddia eden.

Ona servis vermekle, ışıyacağını.

Yalan tabii!

Köleler çok korkutucudur. Çok uzun soluklu da olsa, mutlaka sıralarını beklerler.

Bırrrr. Çok korkarım ben kölelerden. Esirlerden. Adanmışlardan.

Onlardan biri olamam.

Olacak olsaydım işte, Marilyn'inki olurdum.

Merlin ise, Oscar Wilde'ın oğlunun adı. Bir de o ünlü sihirbazın. King Arthur'un adamı hani.

Kadınlara konulmuyor bu ad. Ama Marilyn'i öyle işte, Türkçe gibi filan da, çağırasım geldi. Çok acı çekmiş bir ruh. Her an yara bere içinde. Her şey tuz basıyor Marilyn'in içinde bir türlü bir türlü kapanamayan yaralara.

Kaplan da, vesile işte.

Böyle çok yaralı bereli, açık yaralı ruhlar böyledir.
Ne yapsan tuz, ne desen işkence.
Nereye baksalar, kendi içleri.
Parça parça. Parçalanmış.
Batıyor. Acıtıyor. Yaralıyor.
Dayanılmıyor işte.

İŞİ KIRIN!

Havanın güzelliğine bakar mısınız? Pırıl pırıl pırıl. Böyle tatlı bir kış güneşi. Isıtıyor; ama çok efendice. Çok hakkaniyetli, kadirbilir bir hava. Siz de bu güzelim havaların kadrini bilin. Mesela bugün, işi kırın.

Perşembepazarı'na inin tünelle. Ordan, pazarın tam oradan, deniz kenarından çok sarsıntılı motorlar kalkıyor. Onunla karşı kıyıya geçin. Kendinizi Tahtakale'nin kollarına atın. Bir sürü saçmalık var Tahtakale'de. Baka baka dolaşın. Mısırçarşısı'ndan geçin. Sirkeci'deki şahane lokantalardan birinde yemek yiyin. Ya da Mısırçarşısı'nda Pandelli'de. Ya da daha çabuk ve ucuz olsun diyorsanız, çarşının içindeki yegâne iki katlı lokantada. Acayip güzel (ve yağlı) yemekleri var. Sonra Mısırçarşısı'ndan çıktığınız yerdeki agresif garsonlu çay bahçesinde, daha doğrusu bahçelerinde, evet kötücene: ama çay çaydır işte; çay için.

Doğubank'a gidin. Oralarda dolanın. Hatta yukarı, Cağaloğlu'na çıkın. Bi Kapalıçarşı, bi Sultanahmet: Böyle bir şeyler yapın.

Ya da şimdi işyerinde mesela kahvenizi içiyorsanız ve tam da işe koyulmak üzereyseniz, izin almanız/haber vermeniz gereken merci kimse, merciin önüne dikilin. Elinizle ağzınızı kapayıp (sağ elinizle) sol elinizle midenizi gösterin. Şöyle bir izlenime oynayaraktan: "Ay ağzımı dahi açsam, kusabilirim." Gibi. Ama daha karışık. Ne olduğu belirsiz bir saçmalık. Bir kere konuşmuyorsunuz. Hatta konuşamıyorsunuz. Ya.

Sonra masanıza koşup çantanızı kaptığınız gibi koşarak, kaçın. Çıkın gidin iş yerinizden.

Nasıl bir çiçekle yaz olmazsa, yani olmuyorsa; bir iş kırmakla da, işten manasızca kaçmakla da, dünyanın sonu gelmez. Kirişi kırın. Tabanları yağlayın. Henüz evden çıkmadıysanız, daha bile iyi.

İşe telefon açıp, "Gluk gluk gluk" tarzı sesler çıkarın. "Konuşamıyorum bile," deyin. "Sonra izah ederim." Hemen menemen yemeye bir muhallebiciye gidin. Ordan 12 seansına. Bir sinemaya. Ordan yemeğe, ordan profiterol yemeye. Ordan ona. Ordan buna. Tek başınıza olmaktan imtina etmeyin. İnsan bazen sinemada bir filmi en güzel tek başına seyreder.

Kitapçıya gidip bir Barbara Vine alın. Akşama okumayın. Akşamüstü başlayın. Deniz kenarında. Kıçınız donunca, koşarak eve dönersiniz.

Kendinize çay yaparsınız. Biri size mozaik pasta getirir. (Hoş, kimse o kadar düşünceli değil.) Siz oturur mozaik pasta yaparsınız. Ya da zaten Savoy'dan vişneli mekik almışsınızdır.

Bu akşam haberleri açmayın. Televizyonu açmayın.

Kendinize böyle bir iyilik yapın. Bir kıyak geçin.

Telefonların (evet! cep de!) sesini kapayın.

Abi ya, bir gün de konuşmayıverin hiç kimseyle.

Size ne kadar iyi geleceğini tahayyül dahi edemezsiniz.

Bir gün için, bir tek gün için; ilişkilerinizden, gücünüzden/güçsüzlüğünüzden, kendinizden İZİN ALIN.

Bugün, kendi kendiniz olmayın. Hiçbir şey olmayın. Bir HİÇ bile olmayın. (Ki zaten o, çok çaba ister.) Öyle çabasız bir hale, bir ruh haline girin. Çabasız. Çabalamasız. Dolayısıyla da hiç kimsesiz.

Birileri, hep sizi bir 'şey' olmaya zorlar: Anne olmaya zorlar, hemşire olmaya zorlar, seven ihtiraslı kalp olmaya zorlar, zürafa olmaya zorlar, bakıma muhtaç kedi yavrusu olmaya zorlar, erk sahibi insan olmaya zorlar –zorlar da zorlar. En fenası sırf birileri olsa iyi, siz de habire kendinizi zorlamaktasınız. Oysa zorla GÜZELLİK olmaz. Güzellik; rahatlıktır, huzurdur. Kapıp koyverme halidir. Zorlamamaktır. Oluruna bırakmaktır. Ne güzel laf: oluruna bırak.

Stilli programlar yapmanız gerekmiyor. Stilsiz programlar yapmanız da. Yukarıda söylediğim önerileri geri alıyorum. Program yapmanız gerekmiyor. Program bu! Dile kolay. Yataktan, salondan, koltuktan çıkmayın. Ne kadar yapmasanız da olur. Hatta iyi olur.

Şöööle bir kafanızı havalandırın. Hiçbir derin düşünce sınırını ihmal etmeden. Ufak ufak düşünün. Hop diye düşünmemeye başlayamayacağınıza göre, ufak ufak ufalayıp düşünün. O kadar.

Sonra bir adet telefon açma hakkınız var. Birden veriyorum. Cömertçe. Durunamadım.

O telefon hakkınızı da, kendinizi REZİL ETMEK için kullanın. Rezil edin kendinizi; ama ayaklarınıza kapanırım; zırnık üzülmeyin.

"Reçete yüzünden," dersiniz. "Reçete öyle yazdığı için. Yoksa dünyada açmayacağım bir telefondu." Evet. Hatırım için. Öyle deyin. Bu gün o pastırma yazı tuhaf günlerden. Bu günün hakkını yemeyin. Tadını çıkarın. Ne yaparsanız yapın. Demem o ki, bu günün normalliğinin belini kırın. Anormal günler dilerim. Ben bunu diliyorum, gerisi size kalmış.

"I'LL SURVIVE"IN SIRRI

Sanırsam aşk, dertli bir durum. Dertli bir durum, eziyetli bir durum, mutsuzluğa dair bir durum.

Zira aşkta eşitlik yok. Asla. Hep, daima, çoğunlukla taraflardan biri daha ziyade âşık. Daha ziyade âşık olduğu için, eşitsizlik söz konusu. Eşitsizliğin olduğu yerde tam bir mutluluk olamaz, bu bir. O daha ziyade âşık taraf, karşı tarafın 'daha az' halinden mustariptir. Mustarip olmakla kalsa iyi: Kendini yer bitirir, acayip eziyet çeker ve bir nebze olsun eşitliği sağlayabilmek için de eziyet çektirir. Bu iki. Ya da üç. Numaralandırmayı siz yapın.

Balzac'ın dediği gibi: "Her aşk ilişkisinde canı sıkılan bir işkenceci ve canı acıyan bir kurban vardır."

Bu kurban/işkenceci ilişkisi, taraflara rahat vermez. Niye versin ki? Aşkın (pislik) tabiatı bu. Bir de (hani teselli babında söylüyorum) aşk sürüyorsa, ki uzmanlar işte hormonal ömrünün üç buçuk yıl olduğunu filan söylüyorlar, rollerin değişmesi anları da vardır kendi içinde. Kurban kapıp koyverir bir yerde. Öylesine kapıp koyverir ki, gördüğü sistematik ve mütemadiyen yakan işkencelerin sonunda, a! bir bakarsınız işkenceciye dönüşmüş. İşkencecibaşısı ilişkinin, bir kurbana dönüşmüş. Aslında yaptığı tüm işkenceler kendineymiş, kurbanın derisi kalınlaşmış arada, şimdi senbananeişkenceleretmiştin tintintin diye yankılana yankılana o ona işkenceler etmekteymiş. Roller değişebilir. Değişir yani. Ama aşkın acı veren, rahat yüzü göstermeyen tabiatı değişmez.

Burada devreye on yılların aşkın bu kepaze ediciliğine karşı en mühim şarkısı olan "I'll Survive" giriyor.

Hani:

Bana yaptığın yanlışları düşünerek
Öyle çok gece geçirdim ki
Derken güç kazandım
Ve, geçinmeyi öğrendim.

diyen şarkı. Türkçeye çevrilince o kadar güzel ses vermiyor. Fikret Şeneş'in sözleriyle Ajda'nın söylediği, "Bir zamanlar sen de bana acımadın/Yalnız kaldım/Yıkılmadım ayaktayım" çok çok daha baba bir Türkçe duygu patlaması haline tekabül ediyor.

Şimdi bu şarkının sırrı şu: Sözleri herkesin içinde birtakım sinir tellerini oynatıyor. Şarkı Türkçe/İngilizce nerde çalmaya başlarsa başlasın, insanlar bağıra çağıra söylemeye başlıyorlar; sonra yerlerinde oynamaya, sonra kollarını ayaklarını savurarak hoplayıp zıplamaya başlıyorlar. Kimse acı ve sevinçten (aynen aşkta olduğu gibi) duramaz, durunamaz oluyor. Onca kahırdan sonra işkenceciden kurtulmuş olmanın sevinci delice bir coşkuyla kutlanıyor. Yalnızca o kadar mı? Hayır! "O aptal kilidi değiştirmeliydim/Anahtarlarını bırakmanı söylemeliydim": Bunlar şarkının zirve anları.

Alçak işkenceci anahtarlarıyla kapıyı açmış, girmiş. İlişkiye GERİ GELMEK İSTİYOR! Burda herkes paganlara has bir coşkuyla bağırıyor: "En iyimi beni seven birine saklıyorum!" Evet kurban, hayatta kalmakla kalmamış, yeni bir sevgili de bulmuş. Müşfik, seven, bekletmeyen, sözünün eri biri. Burdan, şimdi bizim eski kurbanımızın bu yeni ilişkinin işkencecisine dönüştüğü sonucunu çıkarabilir miyiz? Çok kötü niyetliyseniz, EVET.

Bir arkadaşım Londra'nın en cool gay kulübündeymiş. Aman ne stilli, ne havalı düdüklermiş her biri. Şöyle yerlerinde dahi kıpırdanmadan, ellerinde içkileri Prada Prada dikilmektelermiş. Derken bir "I'll Survive" çalmaya başlamış ki, hepsi kapıp koyvermiş kendini. İşte sözünü ettiğimiz paganist coşku hali, hepsini dizi dizi esir almış.

In & Out filminde, gay olup olmadığını anlayabilmek için bir yardım paketi ısmarlayan Kevin Kline'ın, "I'll Survive" çalmaya başlayınca nasıl kendinden geçerek o şahane dansı döktürdüğünü hatırlayınız.

Yani sırf kadınlar ve gayler mi dans ediyorlar bu şarkıda? Hayır, heteroseksüel erkekler de kendi minimalist ölçüleri içinde bir duygu patlamasına maruz kalıyorlar. Onlar DAHİ oynuyor yani bu şarkıda. Ama heteroseksüel erkekler can sıkıcı olmayı çoğunlukla şiar edindikleri için (sıkıntıları zevk edindim/bende neşe ne arar) dansla bir sorunları var. Çokçokçok primitif bir sorun bu. Bu sorunun cevabını yeterince istek parçasında bulunursanız cevaplayacağız: "Heteroseksüel erkekler neden doğru dürüst dans edemezler?" Nananan!

HETEREOSEKSÜEL ERKEKLERİN DANSLA İMTİHANI

❁

"I'll Survive'ın Sırrı" yazımızda konuya eğileceğimizi muştulamıştık. Biraz istek beklemiştik. İstek mistek yok. Okunduğumuz ettiğimiz de yok. Ama hazır şurda bi köşeyi tutmuşuz, 15-20 yıl köşeciliğimizi yapıp zamanı gelince Bağ-Kur'dan emekli olmasını da biliriz. Valla Türkiye'de yeter ki, kapılanın (ya da köşelenin) bir yere: Ağzınızla kuş tutsanız işten (köşeden) kovulmuyorsunuz.

Şimdi ben baktım içimde gemlenemez bir Kevin Kline'ın "In & Out"taki dansını anlatmak arzusuyla dolaşmaktayım bi hafta on gündür. "Ya," dedim, "ne diye gemliyorum ki kendimi. Köşeciğimde istediğim gibi anlatayım." Uzunuzunuzun işleyeceğim bu mevzuu. Ya da birçoğunu. Amerika'daki Dr. RUTH olayı.

Şimdi "In & Out" filminde, kasabanın sevilen, sayılan edebiyat öğretmeninin (Kevin Kline) eski bir öğrencisi, canlandırdığı gay asker rolüyle Oscar kazanmıyor mu? Çocuk (Matt Dillon) çıkıp bir Oscar'ını alma konuşması yapıyor natürel olarak. Ve diyor ki: "Oynadığım gay rolünde bu denli başarılı olmamı sevgili edebiyat öğretmenim Filan Feşmekan'a borçluyum. Rolümü canlandırırken hep onu düşündüm. Çünkü o bir GAY."

Tamam iyi hoş ama edebiyat öğretmeni de, anası babası da, kasaba ahalisi de, 17 yıllık nişanlısı da, öğrencileri de, birlikte habire futbol geyiği yaptığı arkadaşları da bihaber Kevin Kline'ın 'gay' olduğundan. Hayatta vardır öyle durumlar. Siz diyelim bilirsiniz arkadaşınızın gay olduğunu. Anası babası da bilir. Karısı da. Hatta üç çocuğu da. Ama arkadaşınız diyelim hayatını, gayliğiyle yüzleşmemek üstüne münasipçe inşa etmiş olabilir. Olabilir. Kendi tercihidir yani. Eş dosta şöyle bi alıcı gözüyle bakın (anten kast ediliyor): Türkiye, bu ne olduğunu öldür Allah bilmeme konusunda mümbit bir toprak parçasıdır; başka konularda olmasa da.

Kevin Kline'ın minik dünyası başına yıkılıyor. Ne yani olabilir mi böyle bir şey? Derhal her Amerikalının yapacağı üzre bir yardım seti ısmarlıyor. Yardım seti de Hasan Mutlu Can sesli Amerikalı bir kazmanın doldurduğu kaset. Kevin Kline kasedi takıp salonun ortasında dikiliyor. Ses başlıyor esip üfürmeye: "Gay misin, değil misin: Şüpheler içindesin, değil mi, SÖYLE! Gömleğin nerde? Pantolonunun dışında di mi! Sok çabuk gömleğini pantolonunun içine!"

Bu esnada gömleği tabii ki pantolonunun dışında dalgalanmakta olan Kevin Kline, gömleğini pantolonunun içine sokar. Ses, esip üfürüp köpürdükçe dehşet içinde ne isterse yapmaktadır. "Bırak karnını dışarı. Kaldır omuzlarını. Kaldır lan!" şudur budur.

Derken gerilerde "I'll Survive" çalmaya başlar. Şarkı Kevin Kline'da engellenemez bir dans etme isteğini pıtrak gibi ortaya çıkarmıştır. Giderek şarkının sesi yükselir. Bu arada heteroseksüellerinabisi kazma bas bas bağırmaktadır: "Oynama! Oynama diyorum! Oynama ULAN."

Hayir! İş çığrından çıkmıştır. "I'll Survive" bangır bangır çalmakta, Kevin Kline'sa coşku içinde harika bir dans döktürmektedir. Allahım, çok güzel bir sahnedir, çok güzel.

Peki asıl meselemize dönersek: Heteroseksüel erkekler neden dans edemiyorlar?

Norman Mailer'ın "Tough Guys Don't Dance" (Sert Erkekler Dans Etmez) kitabı yüzünden mi? Ki ben Mailer'ın da sıkı bir latan olduğunu düşünmekteyim. Nedir bu DANS KORKUSU? Bir tek avlanma mevsimlerinde, bir hedefe kilitlenmişlerse, işte o avı avlamak üzre kalkıp dans edebiliyor heterolar. Yoksa inanılmaz bir ketlenme içindeler. Eğlence için dans etme diye bir durumları asla yok. Zira hedef için dans etmek, takdir edersiniz ki SALT eğlenceye, amaçsızlığa tekabül eden bir durum değil. Oysa gayler ve kadınlar sırf eğlenmek için, dans etmek için, dansın gözleri için dans ediyorlar.

Oysa bakın Sn. Hüsamettin Özkan hatırlamadığım bir bölgenin dans şampiyonuyken gençliğinde, şimdi Ruhat Mengi'nin tüm ısrarlarına karşın, kendi kızının düğününde dahi dansa kalkmıyor. Osman Durmuş, keza.

Dünyanın en iyi dans eden heteroseksüeli olan John Travolta bile güç bela en son "Pulp Fiction"da dans etti. Böyle bir enternasyonal hetero kilitlenmesi dansa karşı.

Valla, düşünmeliyiz.

MARILYN VE ARTHUR

İletişim, "Aşklar ve Çiftler" diye bir dizi yapmış. Onun ilk kitabı Marilyn Monroe – Arthur Miller.

Aldım okudum tabii. Marilyn'le ilgili tüm belli başlı biyografileri de okumuştum vakti zamanında. Tüm Marilyn Monroe biyografilerinden sonra (Gloria Steinem'ınki de dahil) aynı hisse kapılırım: Eksik. Eksik. Daha fazlası olmalı. Daha fazla kan. Daha fazla kalp. Daha fazla gözyaşı. Sahicilik. Kırılganlık. O, o yine eksik kaldı. Daha çoktu: daha katmanlı ve daha yüzeysel, daha ele avuca gelici ve kaçıp uçucu, daha başka bir yerlerde gizli: Çok göz önünde ve çok iç çekmecelerde.

Bir tek Norman Mailer'ın onunla ilgili kitabının sonunda bu duyguya tam manasıyla kapılmadım. Duygulanmaktan burktu beni kitap. Düğüm edip bıraktı. O Norman Mailer ki hiç de az bir yazar değildir. Ve Marilyn'e delice âşık olduğu, Marilyn'inse ona hiç yüz vermeyip ciddi ve gözlüklü ve sosyal içerikli Arthur Miller'i tercih ettiği, bu tercihiyle de Mailer'a bir kroşe indirdiği rivayet olunur.

Miller, Marilyn'le hesaplaşmasını ayrılmalarının hemen akabinde yazacağı "Düşüşten Sonra" adlı oyununda yapacak, ikisini yakından tanıyanlar bu defterleri saçıp savma karşısında bayağı afallayacaklardır.

Ama öyle de olması gerekir. Zira Arthur Miller kendisiyle ilgili teşhisini harikulade bir yetkinlikle zaten yapmış, mühim mi mühim bir yazardır: "Yazmak bir 'kendini araştırma edimi' olmuştu ve hep öyle kaldı. Bu, dillendirilemeyen şeyleri söylemek için bir izin gibiydi ve bir biçimde yüzüm kızarmadan, asla iyi bir şey yazamayacaktım."

Marilyn'le olan 'zor' ilişkileri üstüne de: "Açıklık, sürekli zorlaşıyordu. Marilyn bu dünyada olmayacak bir güvenlik arzuluyordu," yazar.

Marilyn. Annesi tarafından, sonra onu sahiplenen annesinin en yakın arkadaşı Grace Teyzesi tarafından habire onun ve bunun ihtimamına terk edilmiş, bırakılmış Marilyn.

Kitabın yazarı Christa Maerker, "Korkusu ve kendisine yine yalan söyleneceği, aldatılacağı, terk edileceği, kovulacağı kuşkusu, yaşam boyu sürecekti," diyor.

Başka güzel saptamaları da var her ikisi hakkında.

Zamanında 'beyin' ile 'vücut'un birleşmesi diye yeri yerinden oynatan bu beraberlikte, vücut tabii ki Marilyn'dir. Oysa Arthur Miller mizah anlayışına, zekâsına hayrandır Marilyn Monroe'nun.

Marilyn, "Karamazof Kardeşler"e olan büyük tutkusundan bahsedip bu romanın filme çekilmesini tasarladığını söylediğinde, “Siz kimi oynamayı düşünüyorsunuz?” diye sorar Marilyn’le dalga geçerek kendilerini yüceltme timleri. Hepsi erkek değil mi kardeşlerin, bir de babaları yok mu! Kah kah da koh koh.

Marilyn: “Gruşenka” deyince, bu adın nasıl yazıldığını sorar bir gazeteci.

Marilyn, cevap verir: “G ile.”

Miller, bu ve benzeri olaylar yüzünden hayrandır Marilyn’e. “İronik dokundurmaları ve kuru mizahı, nefes alabilmesini sağlayan oksijeniydi onun,” yazar. “Komedyenler genelde görünürdekinin derinliklerinde yatanı yakalıyorlar; yaşamın tortusuna daha yakınlar ve en azından işleri gereği ciddi olmalarına imkân tanınan trajedicilerden daha çok acı çekiyorlar,” yazar.

Mükemmel bir komedyendir Marilyn. Oyuncuların oyuncusu Laurence Olivier ne kadar ‘döktürürse döktürsün’ (“The Prince and The Showgirl” filminde), ikili sahnelerinde, tüm gözlerin yalnız ve yalnızca Marilyn’de odaklanacağını bizzat Sybil Thorndike’dan duyar. Bir başka oyuncuların oyuncusundan, büyük Sybil Thorndike’dan.

‘Yanlış’ anlaşılmış bir kadın mıdır Marilyn, hiç anlaşılmamış biri midir? İnsan tabii ki onu, Tolstoy’un kaleminden okumuş olmayı istiyor. Yazarlar ne kadar yetkin olursa olsun Marilyn Monroe öyle biri işte: Ne kadar tanımlarsanız o kadar tanımötesi, ne kadar tutmaya çalışsanız o denli uçucu. Nitekim kendisine armağan edilen o vücutların en güzelinden dahi, kendi arzusuyla uçtu gitti Marilyn. Ölümüyle ilgili tüm şüphe çekici detaylara vâkıfım. Ama Marilyn’in intihar etmediğini söylemek, biraz da ona hakaret etmek gibi geliyor bana.

ANNELİK GÜNÜ

İşte günün önem ve önemine dair bir yazı... Kızımın yuvasında 'Anneler Günü Özel Programı' vardı Cuma günü. Okulun bahçesine girdik. Ben ve diğer koşturarak programın başlangıç saatine yetişmeye çabalayan anneler. Bir sürü kırmızı kartondan kalp kesip üstlerine CANIM ANNEM yazmışlar. Bu karton kalpleri serpiştirmişler çimlere, yerlere, çalıların, ağaçların üstlerine.

"Anneler! Birer kalp alınız" yazıyor bir kâğıdın üstünde.

İstediğin yerden toplayıp karton kalbini, gömleğine filan yapıştırıyorsun. Sonra sınıflara girip yedi cüceler iskemlelerine oturuyorsun.

Böyle olacak yani. Ama daha dakka bir/gözyaşı iki: yerden

karton bir kalp alırken: "Ağlayacağım vallahi," dedi annenin biri. Öbür anneler de katıldı bu görüşe. Hoop gözleri yaşarı yaşarıveriyor insanın. Annenin yani. Annelerin.

Sınıfta yedi cüce sıralarına oturduk. Öğretmenleri çıkıp: "Selpaklarınızı hazırlayın," dedi. "İki annelere özel şarkı, bir şiir hazırladık."

Yuva öğretmenleri de sulu göz oluyor. Hazırlanmalar esnasında habire ağlamış onlar da.

İşte Kelebekler ve Tavşanlar (sınıf adları böyle oluyor) karşımıza dizildiler. Onlar daha dizilmek üzre içeri girerken VE GÖZYAŞLARINIZI TUTMAYIN: derhal anneler korosu yurttan gözyaşılar programı başladı. Öyle nemli alâkalar işte. Çocuk müsamereleri bunun için kaçınılmaz oluyor: Doya doya ağlayabilme okazyonları anneler için.

Düşündüm sonra: Bu annelik ağlama ve suçluluk yumağından oluşmakta.

Daha hamileliğinde gözü devamlı yaşlı/nemli dolaşan bir danaya benziyorsun. İnceliyor ruhun, bedenin kalınlaştıkça.

Ben mesela hamilelikte korku filmi izlemeyi, dehşet sahneleri içeren filmleri izlemeyi kestim. Hani 'yavrum içimde kötü etkilenir'den ziyade, içinden gelmiyor öyle şeylere bakmak. Pek bir ince ve zarif oluyorsun. Habire kalbin kırılıyor. Habire seviniyorsun. Aşırı dolgusal bir ruh hali. Salıncak. Hiçbir şirretliğin, kabalığın olmuyor. Bir gelincik kadar çabuk sararıp soluyorsun.

Allah'a şükür üç-dört yıl içinde o dolgusal karnıbahar ruh hali perdesi kalkıyor üstünden.

Ama gözlerinin yaşlara hislere temayüllü hali, baki kalıyor.

Bir de SUÇLULUK.

Annelik mutlak bir suçluluk hali.

İshal oldu. Benim yüzümden mi?

Tuvalet terbiyesi gecikti. Yoksa gecikmedi mi?

Memeden kestim. Daha beş-on yıl emse miydi?

Koşarken düştü.

Koşmazsa da canı sıkılır.

Koşsun. Ben dişlerimi sıkayım.

Şudur da budur. Sonra suçluluk dalgaları:

YETERİNCE VAKİT AYIRDIM MI?

YETERİNCE İYİ ANNE MİYİM?

YETERİNCE... İNCE... İNCE... CE CECE'ye dönüşüyor.

Bitmiyor! Suçluluk hali hiç hiç bitmiyor.

En teselli edici şey, mutlu bir çocuğun olduğunu görmek. Sabahları neşeyle uyanan bir çocuk.

"Kıvırıyorum bu işi galiba," oluyorsun. Yalnızca olur gibi oluyorsun.

Hep mütereddit. Hep el yordamıyla. Kalp yordamıyla. Böyle bir iş işte. Son kertede kendi reçeteni kendin yazıyorsun.

Benim reçetemde mesela: AZ AMA ÖZ ZAMAN, ahir zaman üfürmesi ÇOCUĞUNLA SÜPER KALİTELİ SAYILI ZAMAN maddesi yer almıyor. Ben mümkün olduğu kadar çok NORMAL ZAMAN'a inanıyorum. Öyle sıkıştırılmış hokkabazlık zamanları değil. Evde ol, çocuğunla. Yemeği pişir. İşlerini gör. Bebeklerle de oynarsınız.

Ama öyle bir üstün, yapmacık annelik haliyle değil.

Canın sıkılıyorsa, oynamazsın.

Aynı evde yaşayan iki varlıksınız. Öyle. Akışı doğal bir ilişki.

Evet hünkârbeğendi ve kadınbudu köfte pişirmekten acizim. Ama kızımın yediği yemekleri, tüm kifayetsizliğimle ben pişiriyorum. Bence mühim olan bu: Annesinin pişirdiği yemeği yemesi.

Kızım bazen sarılıp: "En güzel yemekleri sen pişiriyorsun," diyor. Ben derinn bir suçluluk kuyusuna yuvarlanıyorum. Diyelim nerde annemin yemekleri, nerde benim yemeklerim!

"Kızım güzel yemek diye benim yemeklerimi sanıyor!" oluyorum.

Olsun. İnsan için en güzel yemek, annesinin onun için pişirdiği yemek.

Belki de emzirilmekten gelen ruhi bir bağlılıkla.

Belki de tat hissinin ananın yemekleriyle gelişmiş olmasıyla. Şöyle ya da böyle. Zor ve kolay bir iş. En iyisi işi doğal akışına bırakmak. Ben bu konuda hiç kitap okumuyorum, mesela. En doğrusu kızımla benim doğrumuzdur diye düşünüyorum. Haydi hayırlısı.

İLLA DOĞURACAM: Bİ TANE DAHA "BEN"

Hayatların çekiş çekiş çekiştirilmesinden bezmişken... İnsan ömrü muasır medeniyette 80'e çekildi, derken 85, 90. Bir sürü fosil, golf arabalarıyla ordan oraya giderek, hayatların illa da 'maksimize' (kâr tablosu gibi) etmekteler.

Kanser olan birinin kemoterapi, radyoterapi, ameliyat, bir ameliyat daha; hayatını iki yıl uzatacak, üç yıl uzatacak diye, inanılmaz ağırlıkta bir sağlık maratonuna girmesini –anlamıyorum. Zaten saçları dökülür, bedenleri depremlenirken, o çok ağır kanser vakalarının, zorla kopardıkları günler hayattan: hayat mıdır ki? Artık birilerinden: "Çok ilerlemiş. Saptadılar. Deniz kıyısında yürüyerek ve albümlerimizi düzenleyerek ölümün gelip beni teslim almasını BEKLİYORUM," lafını duymak istiyorum. Filmlerde dahi olsa, duymak istediğim bu laflar: Bu zamanların hayatta kalma oburluğu, bir bulantı veriyor içime.

Bir başka ağır hırs hali de, özellikle yeni şehirli kadınların doğurma tutkusu. İlla doğuracaklar. Mutlaka. Şart bu. İşte bazı kadınlar hamile kalamıyorlar. Olabilir. Sonra gelsin 17 yıl boyunca yalnızca tofu yiyip karalahana suyu içerek girilen irade şampiyonaları. O klinik senin, bu son moda jinekolog benim, dolaşmalar. Tırmıklamalar. Kifayetsiz muhterislerin içinde, İLLE DE ÖZZ ÇOCUĞUNU DOĞURMAYA kurulmuş bir saatli bomba tıklıyor: Hayatlarının 5 yılını, 10 yılını, 15 yılını gözlerini kırpmadan bu uğurda heba etmeye prefabrik razılar: Yeter ki, kendi muhteşem (hırs) genlerini geçirsinler yırtış yırtış, dünyaya getirecekleri bebeklerine.

N'olacak yani? Sen doğurunca Mozart, öbürü doğurunca Küçük Emrah mı olacak? Ben sana söyleyeyim cevabı, benmerkezci hırsını irade zanneden can sıkıcı kadın! Doğurduğun çocuk da aynı sana benzeyecek ki, bundan daha kötüsü Şam'da tütsü; genel müdür yardımcısı Burçin ve genel koordinatör Sinan'dan bir tane daha! Çarpılan işletmeci sayısı!

Geçenlerde Nilüfer; Türklerde âdet olmayan bir şey yaptı ve orama yumurta nakletsinler, burama tüp çeksinler, "illa benim doğurduğum şahane, temiz, Ari ve mühimdir" krizlerini filan yaşayıp kimselere yaşatmadan bir bebek evlat edindi. İki yıl heyecanla beklemişti, ruhen ve madden hazırdı, gitti başka birinin 'dünyaya getirip' kim bilir ne güçlükler yüzünden terk edip gittiği bir bebeği, kendi evladı yaptı. Bundan daha hakiki bir annelik olabilir mi?

Mülakatlarından öğreniyoruz ki, bir kilo üç yüz gram sokağa terk edilen ve haftalarca kuvözde kalan Nilüfer'in bebeğini, diğer aileler istememişler. Depremden sonra Türkleri saran evlat edinme arzusu zamanlarında da "mavi gözlü, sarı bukleli saçlı, tercihen gamzeli illa da KIZ bebekler" istediklerini (hem büyüyünce baksınlar onlara kız evlat olarak, hem de İskandinav genleri sayesinde 'hayırlı' evlilikler yapıp sınıf atlasınlar) beyan etmişlerdi. Böyle bir 'Aryan kız bebek' arzusu olabiliyor en iyi ihtimalle Türk milletinde, dükkândan en sarısından bir oyuncak bebek alır gibi. Ki, o da zayıf: 80 kişi mi ne, başvurmuştu o zaman 'rekor' sayıda.

"Ben ona öyle bir bakar, öyle bir büyütürüm ki," diye düşünmüş Nilüfer. Bebeğinden televizyonda her bahsedişinde, o serin hakiki anneliği, kadınlığı, insanlığı, gözlerim otomatikman doluveriyor: "Ne doğru dürüst bir kadın bu!" diye.

Ayrıca, illa kendi üstün genlerinin röprodüksiyonlarını dünyaya çekiştirmekte ısrarcı kadınların, adamların, belki de evlat edinmemelerinde hayır var: Zaten sırf kendilerini seviyorlar, doğurmaya muvaffak olurlarsa da, doğurdukları muvaffakiyetlerini ve 'yeni ben'lerini sevecekler. Yani, temelde, hakiki bir sevgiye muktedir değiller. Yıllarını ve onbinlerce dolarlarını, replikalarını yaratabilmek uğruna akıtsın dursunlar. Müstahaktırlar.

Oysa dünyada ve Türkiye'de binlerce KİMSESİZ çocuk, itilip kakılan, bakılmayan, evinde ne işkencelere maruz kalan güzelim ve işte bu dünyaya, bu zalim ülkeye, hayata getirilmiş çocuk var.

Ayrıca çocuksuz olmak diye de bir seçenek var. Böyle ne menem bir zaruret ki; illa billa çocuk sahibi olup cinsiyetini, başarmışlığını, oldurmuşluğunu taçlandıracak.

Anlamıyorum 'bunları'. Zaten hoşlanmıyorum da 'bunlardan', yani 'onlardan'.

Geçenlerde öz annesi ve üvey babası tarafından ağır dayaklara, işkencelere maruz bırakılan, üç yaşında boncuk gibi bir oğlan, mahkeme tarafından 'yine' annesine teslim edildi. Allah'tan işkenceci anne, zulüm objesini götürüp Çocuk Esirgeme Kurumu'na bıraktı: Bakmak istemiyorum, diye.

Evet. Medeni Kanun'un bir an önce medeni bir hal alması gerekiyor. Bekârlara da evlat edinme hakkının tanınması. Temiz ruhlu, doğru dürüst bir sürü insana iğnenin deliğinden geçmek zorunda kalmadan evlat edinme hakkının tanınması, gerekiyor. Öyle az sayıda ki, onlar. Ve bir evlat sahibi olmayı öylesine çok 'hak' ediyorlar ki...

COLETTE KORKUSU

Hâlâ, Colette üstüne yazılmış o en son ve en kapsamlı -iki tuğla büyüklüğündeki- biyografiyi okumakla meşgulüm: Judith Thurman'ın "Secrets of the Flesh"ini. (Etin Sırları? Tenin Gizleri?)

Gün beni haberleriyle, gazeteleriyle, yapılması gereken (ve hiç sonu gelmeyen) İŞLER LİSTESİ'yle didikleyip geçtikten sonra, ördek yeşili kanepeye çekiliyor ve silindir yastığa sırtımı dayayarak kitabıma, dönüyorum.

Bu arada Colette, çok korkutmakta beni. Çocukları (kendi öz kızını), erkekleri, kadınları yemeye doymayan, aşırı iştahlı, aşırı sağlıklı, aşırı kendi düzeninin/refahının/ferahının müptelası bir kadın. Bir sağlık abidesi. Her daim bahtiyar, dinç ve tunç, bir Fransız köylüsü.

Colette'den yola çıkarak ona benzeyen/onu andıran/iştahları (sosyal, cinsel, fiziksel) bu kadar yerinde, bu kadar kendine, kadınlığına güvenen kadınkadınların beni ne denli korkuttuğunu, bir kez daha, bu kez oturduğum yerden inceden inceye keşfetmekteyim.

Hakikat şu ki, böylesine kadınkadınlar bende ciddi bir iğdiş edilme endişesi (castration anxiety) yaratıyorlar. Evet. Erkek olmak, bacaklarının arasında bir penis sahibi olmak şart değil bu kadınların sende ağır bir endişe durumu yaratması için. Bu kadınlarla, böyle kadınlarla yani, hiçbir şekilde KENDİM olamıyor, ileri ve geri şuursuzca dalgalanıyor; ama temel olarak kendi içimde yatağın altına kaçmak ve içeri: "Anne! O kadın gitti mi?" diye bağırmak istiyorum.

Hiçbir; ama HİÇBİR erkek beni bu kadınlar kadar korkutamaz, hesapçı dillerinden ve güçlü bedenselliklerinden tırstığım kadar, tırstıramaz.

Oysa yıllar önce okuduğum 'Avare Kadın'ın çok sevdiğim kitaplardan biri olduğunu, sanırdım.

Sanırdım; zira artık o denli kaknemleştim, bir dolu edebiyatı öylesine yapmacık ve kof bulmaya başladım ki, şimdi okursam "Avare Kadın" üstüne kanaatim ne olacak bilemiyorum.

Biyografide Colette'in en yetkin eseri olarak uzun uzun sözü edilen "The Pure and the Impure"u (Saf ve Kirli? Temiz ve Bozulmuş?) zamanında okuduğumu dehşet içinde fark ettim mesela. Ve ne denli sıkılarak, ite kaka, tüm o ağır dantela işçiliğinden mustarip mısralar tarafından habire püskürtülerek... Okuduğumu. Tabii buna 'okuma' denirse; zira zorla güzellik ve (yani) edebiyat olmuyor, olmuyor. (Eş eşini bulmuyor.)

Bu kitabı hayırlısıyla bitirince, "Cheri"yi okuyacağım. ("Cicim" adıyla Can Yayınları'ndan çıktı. Türkçesi (üstelik) Azra Erhat'tan.) Sonra da "Gigi"sini Colette'in ve "Kedi"yi. Bu üç kitaptan sonra hakiki ve sarsılmaz Colette intibam oluşacak ki...

Yazar kadın ne denli korkunç olursa olsun, yazar iyi de olabilir: Önyargının âlemi yok.

Şu var ki, 'edebi' beğenilerimde bütün taşlar yerinden oynamış vaziyette. Yine hayatta en sevdiğimi iddia ettiğim kitaplardan olan Camus'nün "Yabancı"sını iki yıl önce bir kez daha okudum ve beğenmedim. İyi mi? Çok tasarlanmış, çok 'edebi' (kötü anlamda kullanılıyor), dilim varmıyor, varmıyor ama işte yapmacık buldum!

(Ağır bir edebiyat üstüne günah çıkarma seansına dönüştü, yazı.)

Geçenlerde öğle yemeğinde, edebi zevklerimiz alabildiğine çakışan bir arkadaşım: "O Proust da kim abi; Dostoyevski'nin tırnağı etmez" yollu bir konuşma yaptı ki! Ben şu yaşıma kadar hiç Proust okumadığım için sesimi soluğumu çıkarmadan; ama dehşet içinde tiradını dinledim. Belki de bu Dostoyevski hastalarına mahsus bir 'yoksunluk' halidir: Hani eroin bağımlısı birinin otlu sigarayla yetinmesini bekleyemezsin, durumudur. Ne bileyim!

Son on yıldır okuduğum hiçbir edebi kitaptan zevk almamış biri olarak, karşınızda, evet mahçup da içine yuvarlandığı durumdan, ama çaresiz ve sinsice memnun da mütereddit olarak, vaziyet BU. Vaziyet BU. Acıklı ve ağır. Hayır. Birden aklıma geldi. Yalnızca Jane Bowles'un "Two Serious Ladies" kitabından. O kitaptan, hakiki edebiyattan ancak, alabildiğim zevki almıştım. (Can Yayınları'ndan çıktı o da: "Ağırbaşlı 2 Hanımefendi" tarzı bir adla. Ararsanız, bulunabiliyor.)

Bu ağır edebi günah çıkarma seansı, aynı zamanda tabii psikolojik bir dışavurum: Kadınkadınlara karşı duyulan o çocuksu ve devasız (onun için de kalsın öyle, tedavisiz tedavisiz) korku. Her şeyin tedavisi gerekmiyor. Her şeyin tedavisi, şart değil. Her birimiz çokça da, hastalıklarımızın, endişelerimizin, rahatsızlıklarımızın toplamıyız.

Belki de beni müşteki eden; iten, kaçırtan, korkutan budur: Sağlık Korkusu'dur. Dünya sağlık ekseninde dönüyor, giderek. İnsanlar tatsız tuzsuz ama sağlıklılık tarikatlarının peşinde, spor salonlarında ve balo salonlarında hayatın, ter döküyorlar. Belki ben kadının da, yazarın da, sakatından hazzediyorum. Belki yalnız onların, bana söyleyecekleri şeyler var. Belki ben, yalnız onların bana söyleyecekleri şeylerle ilgiliyim. Örtüştüğüm insanlar, onlar. (Bir de bu 'neticeye' bağlama hastalığı zuhur etti iyice: Köşecilik yüzünden.)

ÇILDIRTICI KALABALIKTAN UZAKTA

Thomas Hardy'nin "Far From The Madding Crowd"unu (Çıldırtan Kalabalıktan Uzakta) okumaya başladım. Daha çok çok başlarındaydım. Çok çok. Bu kadar vurgulayıp duruyorum; zira üç dört gün olduğuna göre başlayalı, bu kadar da başında olmam iç ferahlatıcı bir durum değil.

Bir kere hayatımda hiç Thomas Hardy okumamıştım. Hiç Thomas Hardy okumamışım; "Çıldırtıcı Kalabalıktan Uzakta" kadar güzel bir kitap adı az bulunur; çocukken filmini görüp pek bir beğendiğimi hatırlıyorum. Epey zamandır sağda solda (yani eşe dosta) söyleyip duruyordum. Okuyacağım. Okuyacağım. Diye.

Başladım. Başlar başlamaz da: "Amanin!" gibi oldum. "Yoksa çok sıkıcı, çok 'demode' bir eser mi söz konusu burada?" Demodeliğine şurdan hükmettim. Şimdi burda şahsi bir demodelik tanımına sıçrayacağım ki, sıkı durun. Kitabın başında, çok başında, kitabımızın mühim karakteri karakterli çiftçi Gabriel Oak (ismi bile güven güven kokuyor) kitabımızın baş şahsiyeti Bathsheba'yı ilk kez görüyor. Atlı arabasıyla gelip pazarlık ettiği Bekçi'nin önünde görüyor. Sonra -daha kitabın dördüncü sayfasında- Bekçi'yle Gabriel Oak arasında kabataslak çevireceğim şu konuşma cereyan ediyor.

Bekçi uzaklaşan arabayı inceledi. "Güzel bir kadın," dedi Oak'a.

"Ama kusurları var," dedi Gabriel.

"Haklısın, çiftçi."

"Ve en büyüğü - işte, her zaman olan."

"İnsanlara kötü davranmak mı? ya öyle."

"A, hayır."

"Ne, peki?"

"Kibir."

Şimdi bu ilk izlenim, bu ilk laf: kitabın sonunu kestirebiliyorum. Nasıl bir çember çizilip, hayat nasıl da dersini verecek kibirli Bathsheba'ya, hemen tahmin edebiliyorum.

Oysa hiçbir Jane Austen kitabında, kitabın sonunu başından şak diye tahmin edemezsiniz. Jane Austen karakterleri de kibirli, kendini bilmez, gururlu, önyargılı hallerinden kendilerine gelip muhakkak bir 'kendini ve haddini bilme' aydınlanmasına uğrarlar. Ama hem uğrarlar, hem uğramazlar. Daima kendi kusurlu ve eğlenceli kendileri kalmalarına izin verir Jane Austen kadın kahramanlarının. Onları cengâverce korur, dalgasını geçerek sever. Jane Austen nasıl kendi karakterinden hiç taviz vermeyecekse, vermemişse; kadın kahramanlarının kendi yazıp oynadıkları yanlışlıklar komedyalarının sonunda, oyuna uyanıp selam vermelerini sağlar; ama yine de onları eğip bükmeden. Yeni yanlışlıklar komedyaları sahneleme imkânlarını ve potansiyellerini asla iğdiş etmeden.

Bu yüzden de eşsiz benzersizdir Jane Austen. Her daim taze ve moderndir.

"Çıldırtıcı Kalabalıktan Uzakta"yı ilk polaroid önyargımla bunca sıkıcı, olası sıkıcı bulmuşken ve kitabı okuma fikri aklıma çok uykum olduğunu getirip beni gecede 12 saatlik uyku seanslarına sürüklemekte iken...

HAYIR! HAYIR!

Okuyacağım, bitireceğim bu kitabı. Sonra oturup Jane Austen'ın "Sense and Sensibility"sini (Akıl ve Duyarlılık) okuyacağım. Her ikisinden sonra da Mina Urgan'ın İngiliz Edebiyatı Tarihi cilt 3 ve 4'ünü. (Öz görüşlerim etkilenmesin diye başından değil. Kitaplar bittikten sonra.)

Bunca UYKU durumuyla, daha kitabın başından bozuk atarken kitaba, nasıl becereceksin diyenler varsa, yaşıyorsa öyle kötü ruhlar, kötücül kötücül konuşmaktalarsa... "Post-mortem bir İngiliz Edebiyatı Öğrencisi hezeyanları içinde," derim onlara. Başlık bu. Derim.

GİDENİ ÖZLEMEK

Geçen haftalarda bir iki günlüğüne Bodrum'daydım. Yanlış anlamayın 'eğlence' için değil, 'iş' için. Bunu söylerken de düşünüyorum, son bir iki yıldır oraya ve buraya gitmişim ama hep 'iş' için gitmişim. Böyle bir amaç olunca da, yaşayamıyorsun orayı. Ruhunu, iş bellemiş oluyor. O mekân ve o zaman önünde uzanıp gitmiyor.

Yine de çok kendi kendime kaldığım birkaç saat için ve annemin evinde geçirdiğim gece için, müteşekkirim o iş seyahatine. Annemin burdaki evini satır satır boşalttım yaz boyunca biliyorsunuz. Hayatımda yaptığım, en üzücü 'iş'ti. İşte, annemin gardırobu. İçindeki bütün giysileri oraya ve buraya yollamak, gardırobu da başka birinin evine postalamak durumundayım.

Bunu yaparken içiniz her parçada ayrı parçalanıyor. Ve işte annemin açınca annem annem kokan dolaplarını boşaltmakla kalmıyorum, annemin kokusu da kaçıp gidiyor ellerimden. Her şey bitip gittiğinde, artık birtakım kapakları açıp annemin giysilerine dokunamayacağım; onun kokusunu içime dolduramayacağım. Annemin tuvalet masasının kendine has harikulade dağınıklığını, yok edeceğim ellerimle. Ve annem artık yok. Gelip dağıtmayacak masalarını dilediğince.

Bir yandan ona ait son ruh kırıntılarından kopuyor olma hali... Bunun verdiği suçluluk, iç burkulması, ağır hasret. Bir yandan mecbursun işte bunu yapmaya. Yıllarca annenin gardırobunu ve kokusunu muhafaza edemezsin. Doğru değil bu. Çok acı, çok acıtıcı. Bir an önce kurtulmak istiyorsun. Her şeyden. Acıdan da. Habire soruyordum o dönem, bu acıyı yaşamışlara: "Bitecek mi, bitiyor mu bu acı; bu kadar canhıraş sürüp gidemez değil mi?" "Bitiyor," diyorlardı. "Ama tam da bitmiyor. Hiç bitmiyor."

Annemi kaybetmenin acısı, o ilk aylara nazaran yok denecek kadar azaldı. Ama bir hayvan gibi özlüyorum onu. Onu şiddetle ve dehşetle özlüyorum. Öksüz ve yetim kalmak. Sap gibi kalmak. Onsuz kalmak. Palangasız kalmak. Bütün bunları burnumun direğinde duyarak. Öksüz ve yetim kalmak, inanılmaz bir boynu büküklükmüş hayatta. Annem gitti ve boynum büküldü. Bu annemden çok bana dair, yani bencilce bir acıma hali olabilir. Ama asıl annemin önemine dair bir şey. Evet o mühimdi. Gitti. Ben de sap gibi kaldım.

Ama annemin son yıllarını çok geçirdiği evi, yazlık değil, yazın ve kışın kullandığı evi; üç aşağı beş yukarı onun bıraktığı gibi. Ordaki gardırobunu hafifletmediğimi söyleyemeyeceğim. Ama açınca kapılarını, içi hâlâ tıklım tıklım annemin stiliyle yığılmış kıyafetleriyle beni karşılıyor. Orada annemin kokusu, hâlâ beni terk etmemiş, hüküm sürüyor. Mutfağında havluları, biberleri onları astığı yerlerde duruyor. Yazın yaptığım tasfiye hareketleri ölçülüydü. Bu ev, hâlâ ve çok annemin evi. Annem orada geçirdi beyin kanamasını. Sonra da oraya gömüldü. Onca sevdiği köyünün güzelim mezarlığına. Oraya gidince annemi daha çok hissediyorum.

Orada kaldığım gecede onun evindeydim. Daha çok annemleydim. Döndüğümde onu daha çok özlüyordum. Hasret baskınlarına daha sık uğruyordum. Orda hayatımın üç sevgili kaybını: annemi, Gülçin'i ve Mustafa Irgat'ı düşündüm. Benim ölülerim az. Ben, bu üçünü özlüyorum. Bu üçü, aklıma düşüyor. Onları görmek, konuşmak istiyorum. Gülüşleri geliyor aklıma, saçmalıkları geliyor, lafları, şunları bunları. Sonra içimi hasretleri basıyor. Gidenin bir daha dönmeyeceğini bilme hali. O burukluk. O kanırtma hali.

Hayır, annemin önüne sokaktaki ve içimdeki kavgalardan paramparça, atamayacağım artık kendimi. O beni yeniden ve şefkatle dikmeyecek artık. Koparılmış düğme gözüm yerine yeni bir düğme dikemeyecek. Kahverengi yünlerden, yolunup atılmış saçlarım yerine, yenilerini yerleştiremeyecek. Bu bez bebeği 'yenisi kadar iyi' yapıp yine ona çok güvenip çok beğenerek, dışarlara yollamayacak. Öyle bir lüksüm yok artık. Kimsenin önünde dağılamayacağım.

İNTİHAR EDEN ÇOCUKLAR NEREYE GİDER?

Anne Baba sizi çok seviyorum. Ama ben çok kötü bir çocuğum. Derslerimde başarısızım. ÖLÜCEM, BENİ AFFEDİN.

Geçenlerde 12 yaşında Murat İngeç kendini öldürdü. Bu notu, küçük not kâğıtlarından birine yazıp bırakarak. Tükenmez kalemle yazılmış gibi duruyor. Murat'ın giderken annesine babasına yazdığı 'not'.

Murat gitti. Kendini alıp gitti. Murat'ın ölümünde farklı bir şey vardı: Babası. Murat'ın kendini öldürmesinin ardından televizyon ekipleri 'işlerini yapmak üzre' kamuoyunu, ölen bir çocuğun ana-babasının neler hissedebileceği konusunda 'aydınlatmak' üzre, oradaydı: Murat'ın evine damlamışlardı! Hayır! Murat'ın babası sarih ve aklıselim sahibi robotlar gibi durumla ilgili analizler yaparak çıkmadı televizyon ekiplerinin karşısına. Ne de Türklerin kılıç kalkan oyunları kadar meşhur ve bilindik korunma mekanizmalarını tepeden tırnağa kuşanmış olarak. Murat'ın babası kameraların karşısında şakır şakır ağlıyordu. Hayır! Kameralar var diye ağlamıyordu. Murat'ın babası ağlıyordu. Kameralar oraya dayandı diye ağlamasını kesebilecek durumda değildi. Şakır şakır ağlıyordu ve resmen, alenen, açık seçik kendini suçluyordu. "Çocuklar peydahlanmak için beklemiyorlar"; diyordu. "Onları bu dünyaya biz getiriyoruz. Bizim suçumuz," diyordu. "Benim suçum. Onu çok sevdik. Onu daha da çok sevmeliydik. Daha çok sevmeliydik."

Murat'ın babası içimi düğüm düğüm etti. "Onu çok sevdik. Ama dengesiz, şuursuz çocuğun tekiydi," demiyordu. "Kazadır. Tabancayla oynarken olmuştur. Çok mutlu, sevilen bir çocuktu. Kendini öldürmesi için hiçbir nedeni yoktu," da demiyordu. Yadsıma, yansıtma, bastırma gibi savunma mekanizmalarının en bilindiklerini devreye sokuverip yağ gibi suyun üstüne çıkmıyordu. Hakiki bir acıyla kavrulurken onu, seyrettim. "Anne ve babası tarafından sevilen bir çocukmuş Murat" diye bir tesellinin kollarına sığınarak. Babası, çocuğunu seven bir babaydı işte. Ve bazen çocuklar öldürür kendini. Hatta sevilen çocuklar, öldürür.

Çocuklar arasında depresyon, sandığımızdan çok daha yaygın. Hiç ummuyoruz. Çocuklar hep üstünde CIVIL CIVIL yazan paketlerden çıkarlar ya. Ayrıca İngilizcede 'disposition' diye bir kelime var. Bebekler doğduklarında daha, beşiklerinde gözlendiklerinde mutlu 'disposition'ı (eğilim, ruh yapısı) olan bebekler, sinirli 'disposition'ı olanlar diye bariz iki gruba ayrılabiliyorlar. Daha doğduğumuz anda bizimle gelen halet-i ruhiyemiz var yani ve bazen bazı çocukları ne kadar sevseniz, yetmeyebilir. Var böyle bir şey.

Çocuklar ve yaşlılar arasında depresyon ve depresyondan kaynaklanan intiharlar zannedebileceğimizden çok çok daha yaygın. Sanki çocukların ve yaşlıların bu yoğunluktaki duygulara, şahsi kuyularının içine düşmeye hakları yokmuş, böyle şeyler olmazmış kanaatindeyiz pek çoğumuz. Onun için de diyelim bir çocuğun depresyonu çok kolaylıkla görmezden gelinip 'derslerdeki başarısızlığına çok üzülüyordu'ya filan, bağlanabiliyor. Çocuğun derslerindeki vahim başarısızlığı bizzat, içinde bulunduğu depresyon halinden kaynaklanabilirken.

İnsanın mutlu bir çocuğa sahip olması, hayatında sahip olup olabileceği en büyük mutluluk vesilesidir diye düşünüyorum. Mutlu 'edilen' bir çocuktan ziyade mutlu bir çocuk kast ediyorum. Sabahları yatağından neşe içinde kalkan bir çocuk. Öyle bir çocuk dünyaya getirmiş olmak, hakikaten bir şanstır, bir lütuftur. Ama bazı çocuklar depresiftirler. Fazladan emek isterler. İhtimam isterler. "Çocuktur. Ne yapsa yeridir," diye bakmamakta, es geçmemekte fayda var. Bir çocuk kendini öldürünce içimin en içi sızlıyor. "Bu çocuklar nereye giderler peki?" diye düşünmeden edemiyorum. Burası iyi bir yer değil. Onların gittiği yer neresi peki? Onların çağrıldığı özel bir yer olmalı. Bu yaralı, güzelim güzelim ruhların.

FASSBINDER MEVZUU

Fassbinder'in bu resmine, bayılıyorum.

Münih'te bir birahanede muhtemelen, dikilmiş; olanca Bavyeralı nadanlığıyla, suratımıza bakıyor. Bu pozuyla ilgili uzun bir paragraf vardır "Refakatçi"de. Utanmasam buraya alırdım. Şimdi ordaki Fassbinder'in bu pozunun, ince ince tasvir edilmiş işçiliğine, mükemmelliğine hürmeten, yeni bir tasvir harekâtına girişmiyorum.

Ordaki -Refakatçi'deki- kahraman; işsiz güçsüzün teki, bir kadın herhalde, ama herhalde, Rainer Werner Sineması'ndan çıkışta, fuayede aziz dostlarından birine rastlar. Birlikte "çingene palamutu, roka, patates kızartması filan" yemeğe karar verirler. Kırmızı şarapla.

Orda, o kitapta rastladığım, sevgili dostum Mustafa Irgat'tır.

Mustafa benim, hayatta ölüme verdiğim, ikinci dostumdu. Çok erken, daha kötüsü, çok sancılı gitti. Mustafa'yı hâlâ özlüyor olmam, böylesi bir kısa hafızalar/sadakâtsizlikler çağında, bana onun önemini söylüyor. Hayatımda bıraktığı, boşluğu. Onun boşluğu. Hayatımıza bir sürü insan girer ve geçer, gider. Benim hayatım için böyle bu.

Bir sürü insan boşluk bırakmaz. En iyi ihtimalle "tortu" bırakır. Pek çoğu bok tadı, pas tadı, ya da tekrar katlanmak istemeyeceğiniz bir tatsızlık tadı, bırakır: Fuzuli bir "hiç." Boşluk bırakanlar, ya da hâlâ aynı dünyadaysanız ve görüşmüyorsanız, boşluğu hissedilenler, hakiki dostlarınızdır. Sonunda, hiçbir çabalamaya gerek olmadan, ya da olsa bile sizi üzüp yormadan, tüketmeden, onlara bir şekilde kavuşursunuz. Hakiki arkadaşlık böyle bir şeydir. 20 yıl – 30 yıl – 40 yıl: ne kadar zamanınız varsa, sürer.

Arada teneffüsler, durmalar olsa da; yine bir punduna getirir hayat; beraberlik devam eder. Geçenlerde Münih'teydim ve aklıma Fassbinder düştü.

"Münih Alman, Fassbinder öyle: Tabii bi şey," diyeceksiniz. Ben olsam öyle deyiverirdim yani. Ama daha önce de Almanya'larım oldu. İçimden hiç de Fassbinder, Fassbinder! diye tutturmamıştım. Bir gece, sevimsiz bir sofrada, "Fassbinder nereliydi?" diye soruverdim. "Münih'liydi," dediler.

"İşte," oldum. "İşte! onun şehrindeyim. Beni andı. Böyle ruhani bir bağ, pek tabii ki. İşte!"

Bir yanım böyle diyor, bir yanım da, "Eskiden duymuş olmam, Münih'li olduğunu bilmiş olmam bir zamanlar; çok muhtemel," diyor, "çoook."

Yani ruhani bir göndermede ısrarcı tarafımla; o bezdirici mantık kumkuması/analitik/şöyle hiçbir şeyi doya doya yaşamama, duymama müsaade etmeyen illet tarafım! İşte yine ortaya saçılmış, münazaracılıklarını konuşturuyorlar.

Hayatı boyunca hep hep Münih'te yaşamış Fassbinder. Türk Caddesi ya da Viyana Caddesi: oralardaki kocaman birahanelerde içmiş. Berlin üstüne o meşhur filmlerini de, orda, stüdyolarda çekmiş.

Böyle bir Münih/Bavyera bağımlısı öz Alman işte!

Bir kod tabii Fassbinder. Onu çılgınca beğenen, hâlâ onun sinemasını özleyenler arasında geçerli bir şifre.

Ben ama artık o denli kaknemleştim, o denli hiçbir şeyi beğenmez, hiçbir şeyden hazzetmez, her şeyi DEKORATİF, SAHTEKÂRCA, KURGULANMIŞ, buram buram TASARLANMIŞ, YAPMACIK bulur oldum ki, her şey o kadar zorlama ve zorlayıcı oldu ki indimde –

Geçenlerde çok aziz bir dostuma, "Ya Fassbinder'i de beğenmezsem?" diye sordum. "Ya, onu da beğenmezsem?" Hani ne kalır artık elimde, gibi. Öyle bir umutsuzlukla da, yani.

"Hayır," dedi. Yakın zamanlarda "Petra von Kant'ın Acı Gözyaşları"nı izlemiş ve hâlâ ve çok ve ilk günkü gibi -tam öyle olamaz da- yani kesilmemiş bir iştahla beğenmiş.

"Beğenirsin," dedi.

İnandım. Ona inanırım.

O hâlâ beğeniyorsa, ben de beğenirim.

Bir şeylere inanmak zorundayız.

Her şey ayağımızın altından kayıp giderken, bir şeylere dayanmak.

Fassbinder'e mesela. Tek tük arkadaşlarımıza. Doğduğumuz şehre. Birkaç şeye işte.

Yoksa balon gibi uçup gideriz.

Uçup gitmeliyiz yoksa.

DOLGU BARİTONLARI/MİLİTAN KEMALİSTLER/GÜZEL MEDYA

Kategori 1) Bu planette onlarla yaşıyor olmaktan iğrendiklerim.

Kategori 2) Bu planette onlarla yaşıyor olmaktan utandıklarım.

Türk medyasının bir parçası olmak da, böyle. Ömründe gebersen aynı masaya oturup yemek yemeyeceğin insanlarla, aynı gazetede yazar buluveriyorsun kendini. Fanatik orducular. 'Militan' Kemalistler. Köktendevletçiler.

'Militan' Kemalizm efendim, Büyük Türk Ağrıları'ndan Vural Savaş'ın icadı bir 'kavram' imiş. Yakın ve açık tehlikeye karşı, kendilerini militanca savunmak zorunda (en iyi müdafaa, saldırıdır stiliyle) kalmışmışlarmış, tehlikede (açık ve yakın tehlikede) olan Kemalistler.

Bunların başını bu milletperver, bu çalışkan, bu hukuk kurdu, bu enerjisi bitip tükenmek bilmeyen adam; medya bağımlısı Vural Savaş çekti de çekti tepemizde, yıllarca.

En son -giderayak- saçlarını sarıya boyatmıştı. Bu saçları sarıya boyatma mevzuu, Türk kadınlarında/erkeklerinde/Mesih'lerinde: yani genel olarak kara kafa Türklerde bir idefiks. Sarısiyah ten renklerine çok yakışıyor. Çok 'doğal' duruyor. Zira suniliğin bu denlisi; bir denge, hakiki ve ciddi bir uyum yaratıyor içlerindeki ağır sahtecilikle.

Şimdi ne görüyoruz? En son saç rengiyle (ki cildi bir hastalık sebebiyle galiba, aşırı beyaz eski Başsavcı'nın) eşiyle baş başa, başlarında kâğıt kukuletalar, Ebru Gündeş'i dinleyerek (Çingenem Çingenem/Kara gözlü Çingenem/Aşkınla Yaktın/Kavurdun Çingenem tarzı ağır ağırlıklı şarkı sözleri: böööğğh) Yeni Yıl'a girmiş Vural Savaş. Ki acayip bozulmuştu, o değil de ikinci aday Ahmet Necdet Sezer tarafından tercih edilince. Tabii hemen medyaya damladı.

Oysa kendisi DE Büyük Süleyman Demirel tarafından Büyük Demirel'e ait şaşmaz bir isabet ile ikinci aday iken tercih edilmiş; memleketi 'paranoyak hezeyan, paranoid savunma' teşhisleriyle değerlendirebileceğimiz kararları ile madara etmişti! Hepsini 'hukuk' adına yapıyordu. Her kararının savunma metnini bastırıyor, seçkin medya mensuplarına postalıyor, mevcut her okazyonda, her açılış davette çıkıp 'militan Kemalistçe' kendini kaplanlar gibi savunmalara doymuyordu.

Şimdi göründü. Sn. Başsavcı'ya politikanın yolları. Hani bir zamanlar bir DGM Başsavcısı vardı. Gündemi işgal ettikçe, gündemin hakkı olduğunu varsayan. Sonra MHP'den milletvekili seçilecekti. Sonra, o dahi olmadı. İsmini hatırlıyor musunuz?

'Hayata Dönüş'te ölenlerin sayısı 30'a çıktı. Yüzlerce mahkûm ölüm orucunda, yüzlercesi açlık grevinde. F tipine yollananlar yare bere içinde.

Operasyon esnasında, o sonu gelmek bilmeyen acı/acılı günlerde yazılan yazılardan, kendimi elden geldiğince korumaya çalıştım. Köşecilerin pek çoğu günde on gazete deviriyorlar. Kapalı devre yaşıyorlar bu sayede.

"Telefonlar+gazeteler: E! hiçbir şeye yetişemiyoruz canım. Kolay mı?"

"O ne demiş? Beriki ne yazmış?"

Öylesine iğrenç yazılar çıktı ki. Bir de 'duygu' yüklü olanları vardı. Dolgu yalakalıkları. Çok çok içlenen kalemler. O kadar içlenip dolgulanıyorlar ki, işte orda tam oracıkta, kelimeler yetersiz kalıyor. Lar. Bir düğüm, bir düğme, bir kepçe gelip boğazcıklarına oturuveriyor. Dik yaka kazaklarını elleriyle şöyle bir gevşetiverip, mısralarına dolu doluverdikleri yerden devam ediyorlar. Bütün sokaklar, onlara düşman. Bütün kaldırım taşlarının, yüreği burkuk. Bütün sokak kedilerinin, boynu bükük. Pek zor onlar için dolgulanmalarını yazmak. Ama işte, vazife/bilinç/bir avuç pirinççç: ittire ittire kalemlerini duygularının o sonu gelmez kreşendolarında, bir kez daha bizler için pantuflalarıyla, geziniveriyorlar.

Yazmadığım zamanlarda kendimi Türk Basını'nın mümbit cambazlarından elden geldiğince, korudum. Yazdığım zamanlarda da haftada toplam sekiz-dokuz gazete ya okuyorum, ya okumuyorum.

Bunlardan kendini koruyacaksın. Bunları okumayacaksın. Görüşmeyeceksin bunlarla. Ağır bir mesleki deformasyondan mustarip her biri. İnanılmaz adilikte, düşüklükte işler yapıp, iftiharla: "Mesleki deformasyon" diye sırıtabiliyorlar. Yani oldukları, kendilerini oldurdukları 'nane'den kıvanç duyuyor her biri. Ağır bir kıvanç/övünme/negatif övünme/ekmeğini taştan çıkarma/adilikte sınır tanımama/bunlarla da iftihar etme: Son kertede her şeyle, kendilerine, içinde var oldukları bataklıkla ilgili her şeye dair bir şişinme/övünme/gerinme hali.

PLAKETLERİ NEREYE SOKTUNUZ?

Gerçek bir faşist diktatördü. O meşhuur (ve meşum) 12 Eylül darbesinden sonra Büyük Kurtarıcımız, Her Şeyi Bilen Uluğ Kaan, En Başöğretmenimiz olarak hemen her gece çıkar TRT'de bir konuşma, yapardı. İl il dolaşır; her ilde insanları kurtarırdı.

Ne üstüne, ne düşüneceğimize, yalnızca O, bir büyük kanaat önderi olarak, karar verirdi.

Mesela şöyle konuşmalar yapması gündelik, sıradan ve alabildiğine olağandı: "Kuran'da okudum da, o konuda..." Atatürkçülüğün ne olduğu ve olması gerektiği üstüne, Kuran'da yazılanların esasında nasıl yorumlanması gerektiği üstüne, kulağına çalınanlar ve onların yalanlanıp gerçeklerin bütün açık seçikliğiyle ortaya konulması üstüne; yıllarca yorulmadan ve asla utanıp sıkılmadan; konuştu, konuştu, konuştu.

'İş' başından ayrılırken bir memleketin koskoca bir demokratikleşme sürecini dumura uğratmış, inanılmaz bir Anayasa'yı tepemize çakmış, antidemokratik bir sürü hantal ve mühim kurum yaratıp mahkemelerden üniversitelere yani eğitimden hukuka, hakiki bir demokrasiye kavuşamamamız için her nevi tedbirini almış; üstüne bir de kendisinin ve takım arkadaşlarının dokunulmazlığını sağlamıştı.

Şu an, içinde debelenmekten bir türlü kurtulamadığımız irtica korkusu da, yıllarca, on yıllarca sürerek kanımızı, canımızı kurutan iç savaş da, politikanın bir daha belini doğrultamaması da; tamamen onun ESERİYDİ.

Böylesine cahil ve böylesine cüretkâr biri, dünya tarihinde bile az bulunabilirdi. Yıllarca kelimemin tam anlamıyla 'astığı astık, kestiği kestik modeli'yle, ülkenin idaresini tek başına elinde tutmuş, en nihayet emekliye ayrılırken de verdiği zararların kalıcı olmasını çeşitli kurumsallaşmalarla garantiye almıştı.

İnanılır gibi değildi!

Sonra bırakınız yargılanmasının, eleştirilmesinin, en azından saygınlığının sorgulanmasının gündeme gelmesini; Marmaris'te yaşayan ve yine muhtelif konularda münasebetsiz münasebetsiz konuşan, bir nevi 'komik' yaşlı, tonton dede ressam olarak memleketimizin içler acısı tablosundaki permanent yerini almıştı.

Ağzını her açtığında ortalığı karıştıramasa da, mutlaka güldürmekle karışık, bulandırıyordu. Her birimizi yıllarca tir tir titreten, evlatlarımızı hapislerde öldürten, demokrasinin bize birkaç beden bol geldiğine hükmedip, kendi tanımötesi cunta idaresine mahkûm eden adam BU MUYDU? Buna mı kanmıştık, inanmıştık, bel bağlamıştık? Korktuğumuz, "Oh çok şükür, geldi de canımızı kurtardı," diye sevindiğimiz insan, o koşulların nasıl öylesine tırmandırıldığının hiçbir analizini yapmadan, dört elle sarıldığımız, başımıza memnuniyetle geçirdiğimiz insan; bu muydu?

Kenan Evren yakın bir zamanda kendisine verilen plaketlerin yarısını (700-800 kadar plaketi) bir tekne yolculuğunda denize attığını açıkladı.

Çok manasız; hem büyük bir nobranlık, kadirbilmezlik içeren; hem de ufak çapta da olsa bir çevre kirliliği yaratmaya yönelik bu hareketinin, yani kendisinin öz beyanatı üstüne haber aldığımız bu hakikaten saçma sapan hareketinin, sonra nedense arkasında durmadı.

Plaketleri denize bir arkadaşı atmıştı. Ağır materyallerden metal, mermer, cam gibi şeylerden hazırlatılıyor plaketler. Bu hatırı sayılır yükü BİR ARKADAŞ'ın Kenan Evren'in evinden (çuval çuval) çıkarmasının, böyle bir taşıma harekâtını organize etmesinin, sonra da onları denize atmasının imkânı var mı? Yani Kenan Evren'in olurunu almadan böyle bir organizasyon gerçekleştirilebilir mi? Bizzat, plaketleri denize atma eylemini Evren gerçekleştirmemiş olabilir; ama plaketler ONA AİT ve onların denizin dibini boyladığını (yine aklına nerden esti, hangi serbest çağrışım seansına esir düştüyse) ilan eden O. Dolayısıyla sorumluluk da ona ait. Çevreyi kirlettiği için ödemesi talep edilecek olan, 2 milyarı vermekten mi imtina ediyor?

En son sinir krizi geçirerek, gazeteciler İzmir'de bir sergide kendisine konuyla ilgili sorular soruyorlar diye, onca bayıldığı açılışlardan birinden kaçıveriyor! Asabı bozuluyor Kenan Evren'in.

E, bu tutarsızlığa, bu saçmalığa nasıl bozulmasın? Adam bir memleketin altını üstüne getirmiş; demokrasi, hukuk, bağımsız üniversite, yargı gibi ne vahim kavramları denizin dibine atmış, onlar için hesap sorulmamış da, şimdi dalgacı bir anında yaptığı bir itiraf yüzünden, denize attığı plaketleri soruluyor.

Kenan Evren, bırakın hesap sorulmasını, verdiği zarar ve ziyana dair, kendisine EN UFAK bir soru sorulmasına alışık değil. Bu memleket, 12 Eylül'ün hesabını sormadığı sürece; 12 Eylül'den bize miras kurumların, yasaların, antidemokratik mahkemelerin dibine kibrit suyu dökmediği sürece; yakın tarihiyle cesaretle, dürüstlükle ve inatla hesaplaşmadığı sürece; bu yalan dolandan, bu tıkanmışlıktan, bu şişmiş şişmiş de patlayamaz halden asla kurtulamayacak, bu da böyle biline.

BİR KALİTE SEMBOLÜ OLARAK MESUT YILMAZ

Mesut Yılmaz'ın cumhurbaşkanlığına 'ne de güzel yaraşır' bir aday olarak görüntüsü netleştikçe, son günlerde yaşadığımız mana yoksunu leğende fırtına zamanlarının, hangi kanaviçe hesaplarıyla yaratılmış olduğu da, giderek netlik kazanıyor. Netlik kazanan aslında fluluğunu daima başarıyla muhafaza etmiş bir şahsın, politik hayatımızın 'kalite sembolü' Mesut Yılmaz'ın portresi.

Mesut Yılmaz 'devlet adamlığına yaraşır' ciddiyeti, hiç bozmadan koruduğu 'istikrarlı' 'çizgisi', Kafka okumuşluğu, ağzından çıkanı kulağının duyması, tane tane tane tane tane konuşması gibi hakikaten üstün özellikleriyle ANAP semalarında belirdiği andan itibaren Türkiye politikasında bir umut oldu. Enteresan olan şu ki, Mesut Yılmaz başbakan da olsa, o da olsa, bu da olsa, hiçbir zaman olduğu şey olamadı; hep bir umut oldu, acayip içi boş ama ısrarla ısrar edilen bir 'umut' oldu. İyi başbakan olamamıştı; çünkü koşullar elvermiyordu. Onu iyi yapamamıştı, diğerini hiç yapamamıştı, çünkü koşullar, koşullar...

Mesut Yılmaz kendisine dair yüksek beklentileri bir nebze dahi karşılamayarak; daima yüksek beklentiler yaratabilmeyi sağlaması açısından, fevkalade başarılıdır aslında. Böyle bir içi boşluğa ters orantılı umut vaat etme özelliği başarı sayılabiliyorsa, gelin Mesut Yılmaz'ın hakkını yemeyelim.

Mesut Yılmaz'ın bazı icraatları da oldu. Örneğin daha sonra iptal edilen POAŞ ihalesine adı karıştı. Örneğin Türkbank ihalesine adı fena halde karıştı. Özellikle Türkbank ihalesi sayesinde Kamuran Çörtük'le sohbetlerine, Korkmaz Yiğit'le ayaküstü sohbetlerine, Alaattin Çakıcı'yla Eyüp Aşık üstünden sohbetlerine, tanık olmak durumunda kalıp, özellikle saatler gecenin on ikisini vurunca Mesut Yılmaz'ın nasıl sohbetine doyulmaz bir şahsa dönüştüğünü hep birlikte öğrenme şansını yakaladık.

Mesut Yılmaz, evet günün mahdut saatlerinde temkinli, asık suratlı, nobran ve enerjisiz olabilirdi. Ama saatler on ikiyi vurduğunda mütecessis, esprili, enerjik, hırslı bir şahsa dönüşür; kendini ilgilendiren ve ilgilendirmeyen konular üstüne kafa yorarak ne menem bir çokparçalı bulmaca üstadı olduğunu kanıtlamak üzere, zihinsel egzersizlerine başlardı. Anlaşılan, öyleydi. Bazı geceler, geç vakitlerde konutunda konuk kabul edip nasıl da müdahalelerle vakit geçirmekten zevk aldığını öğrenivermiştik.

Sonra o hiç konuşmayan adam, ansızın ağzını açıp bir bakanın kendini öldürmeye kalkmasına da neden olabiliyordu. Esrarengiz biriydi Mesut Yılmaz. Girdiği her kavgadan mağlup, ama KAZANMIŞ olarak çıkıyordu. Partisini sürekli küçültüyor, küçülttükçe saygınlığı her ne hikmetse artıyordu. Tutarsız davranışlarının sonu gelmiyor, aslında hiçbir sözünü tutmuyor; ama her daim tutarlı ve güvenilir biri muamelesi görmeye muvaffak oluyordu. Hakikaten esrarengiz biriydi.

Mesut Yılmaz'ın en esrarengiz hamlelerinden biri, 98 yılının Kasım'ında Tansu Çiller'i, malvarlığıyla ilgili acayip köşeye sıkıştırılmış olduğu bir anda, komisyon alicengizlikleriyle aklaması oldu. Siyasi rakibine gösterdiği bu açıklama ötesi 'kolaylık' karşılığında, kendisi de komisyonların, dahası Yüce Divan'ın pençelerinden kurtulmuş oldu. Şaibesiz ve temiz Mesut Yılmaz'ın böyle bir 'tencere dibin kara, seninki benden kara' anlaşmasına söyleyiniz rica ederim, NE ihtiyacı vardı? Alnı ak biri Yüce Divan'dan korkar mıydı? Nasıl olmuşsa olmuş, Mesut Yılmaz o çok pek çok güvendiği üstün taktik teknikleriyle Çiller'i uçurumun eşiğinden alıvermişti! Meğer korkacak hiçbir şeyi yokmuş. Zira ismi aklanmadan hükümette görev almayı elinin tersiyle itivermişti. En az oyla en mühim bakanlıkları (ihale bakanlıkları) kapatma maharetini de, bu arada göstererek.

Madem isminin aklanması Mesut Yılmaz için bu denli 'hayati', Tansu Çiller'i Türk siyasetinden silebilecekken, tam o sırada isminin aklanmasına neden izin vermedi? Öylesine taktik maharetlerine güvenmekte ki, sürekli hata yapıp sürekli özgüveni, esrarengiz bir şekilde katlanıyor Mesut Yılmaz'ın. Son Anayasa değişikliği oylamalarında YİNE ne denli güvenilir olduğu, sözünün eri olduğu, vaatlerinin, cımbızla seçtiği adamlarının imzalarının arkasında olduğu, ortaya çıktı. Bu güvenilir, bu başarılı, bu istikrarlı adam cumhurbaşkanlığına aday olmalıdır. Cumhurbaşkanlığı Filarmoni'ye değil. Orda çok daha önemli nitelikler aranıyor.

DÜNYANIN SEKİZİNCİ HARİKASI

Hepimiz nefret dahi ediyor olsak anne babalarımızdan, yaşlandıkça görürüz ki a! annemiz olmuşuz. Babamız olmuşuz. Onların en tiksindiğimiz düşüncelerini, tiksinirken tiksinirken içselleştirmiş, içimizde bakıp büyütüp bizim haline getirmişiz. Ben çok bakarım insanların anne babalarına. Sonra o insan karşına onların çocuğu olarak çıkmış, onlar olarak da çıkacaktır bir gün. Kendi fark etmese dahi.

Bir bu mesele var: anne babamıza dönüşmemiz meselesi var. (Kendimizle harmanlayarak tabii.) Bir de anne babamızın bizi nasıl sevdiğinin (ve tabii sevip sevmediğinin) bizi şekillemesi meselesi var.

Türkiye'nin mübalağasız en sıkı mülakatçılarından Nuriye

Akman, Tansu Çiller'le görüşmüş. Müthiş bir merak ve beğeniyle okudum. Şöyledir böyledir; şunu kabul edin ki Tansu Çiller'le ilgilenmemek mümkün değil. Yine gitti aldı koskoca DYP'nin, küçücük kongresini. Birtakım medyanın, bir zamanlar şişire şişire onu uçan balona çeviren bir-iki-üç takım medyanın, sürekli kötülemesine, karalamasına, yok saymasına rağmen aldı kongreyi işte. Onca şaibeye, onca sabıkaya rağmen, kaybedilen oylara, prestije rağmen, dünyanın en pragmatist kadını olmasına rağmen (ve belki de tam da bu yüzden) aldı. Zira bir 'kimlik' Tansu Çiller. Birisi. Köksal Toptan bir hiç kaldı karşısında. Ne erkekler gördük sanki yoktular, misali.

Tüm Amerika, akıllı fikirli, entelektüel ve güvenilir olanın Al Gore olduğunu bilir. Gider 'Slick Billy' dediği Bill Clinton'ı seçer Amerika. Çünkü kendisi için yazılan metinleri en iyi oynayarak o okumakta. Bir film artisti gibi durmasını, gülmesini, bakmasını bilen o. Tansu Çiller'in kongrede Bill Clinton'dan bahsetmesi, hem her ikisinin teyit edilmiş yalancılığını işaret etmesi bakımından, oyunculuklarını işaret etmesi bakımından, tercih edilme nedenlerinin çok benzer olması bakımından vs. vs. isabetliydi.

Nuriye Akman'la yaptığı mülakattan öğreniyoruz ki onu çılgınca beğenip dünyanın sekizinci harikası diye çağıran bir babayla, bu aşırı beğeniyi dengelemek için (Çiller'in iddiası bu) babası onunla ilgili iyi şeyler söyledikçe onu "BİR KÖŞEYE ÇEKİP SİLKELEYEN" bir annenin mahsulü Tansu Çiller.

Soruyor Nuriye Akman haklı olarak: "Döver miydi?" "Yani dövmek şeklinde değildi ama bir türlü onu dengeleyecek bir şey söyler, bir şey yapardı," diyor Çiller annesi için.

Düşünün, sizi dünyanın sekizinci harikası telakki eden bir babayla, sizinle ilgili böyle lafları duydukça kudurup sizi bir taraflara çekiştirerek haddinizi bildiren bir anne tarafından, böylesine vahim iki uç arasında sallanarak büyüyorsunuz.

Büyüdüğünüzde acaba babanızla olan ilişkinizden yola çıkarak tüm erkekler için kendinizi Allah'ın bir lütfu, buna karşılık tüm kadınları kıskanç, asabi, sizinle bir türlü baş edemeyen biçare rakibeler olarak, telakki etmez misiniz? Dünya sizin için siyah ve beyaz, iyi ve kötü; ama en mühimi, tapan ve kıskanan diye iki uca bölünmez mi? Dünya ortasından (hiç de hak etmediği bir biçimde) ikiye yarılmaz mı?

Çiller'in yalan söyleyip söylemediği sorusuna verdiği "Yalan söylemeyen insan yoktur" yanıtı da pek güzel; Kuşadası'ndaki çiftlikle, hatırlarsınız satılıp Şehit Anneleri'ne bağışlanacağına söz verilen Amerika'daki mal mülkle ilgili soruya verdiği "Yani Clinton hakim huzurunda İncil'in üstüne elini koymuş. Yalan söylemiş. Ee.. Geldiği zaman bizim de keşke böyle bir liderimiz olsa diye yazıyorlar," cevabı da. Hakikaten tescilli yalancılıklarıyla, sarışınlıklarıyla, gülmeleri, işveleri edalarıyla bu ikili andırıyor işte birbirini.

"Saçınız boya mı?" kadar basit bir soruya dahi doğru cevap vermiyor Çiller.

"Boya değil. Yani ZANNETTİĞİNİZ BOYA DEĞİL." İnsanın içinden: "Zannetmediğimiz boya mı?" demek geliyor.

Nuriye Akman sabırla soruyor: "Ne peki o zaman?" Cevap şu: "Birtakım bitkisel ŞEYLER var. Onu kullanıyorum. Kendi rengimin üstüne çıkmam."

Birtakım bitkisel BOYALAR var, onları kastediyor. Ama "boya değil" dedi ya ilk iş. Hiçbir soruya direkt, doğru bir cevap veremediği için aklına gelen ilk yalanı attı ya, şimdi böylesine basit bir meselede dahi ŞEYLER meyler diye kıvırttırması gerekiyor. Kendi renginin üstüne ÇIKTIĞINI ise, zamanında kendi kahverengi saçlarıyla dolaştığından, biliyoruz.

Parfüm markasının her ne hikmetse insanlık âlemine sunulmaması gereken büyük bir sır olduğuna inanıyor. Bu büyük sırrın kendisini dünyanın sekizinci harikası olarak görenler tayfasından Yavuz Gökmen'e dahi açıklamamıştı. Şimdi onu köşeye çekip 'silkelemeye' çalışan bir kadına mı açıklayacak yani?

Tansu Çiller bir vaka. Bir fenomen. Siyasi sicili hiç de ondan parlak olmayan başkaları partilerinin sorgusuz sualsiz başında. O, kongreye gitti, onca menfi propagandaya rağmen aslanlar gibi kazandı. Tansu Çiller'den hayır, kurtuluş yok. Üvey Babamız'ın fırça darbeleriyle yapılmış bir tablonun hayata geçmiş ve ressamının elinden kaçmış hali o. Babasının eseri.

METAL YORGUNLUĞU

Bakın gemi dolaşıp dolanıp sismik araştırmasını yapıp sonuçları bize iletemiyor. Marmara Denizi'nin dibinde neler olmakta?

Yapamıyor; çünkü yorulmuş gemi. Allahın metal metal gemisi. 'Metal yorgunluğu' deniliyormuş. Ne güzel.

Adı da güzel. Kendi de.

İnsanlar da yoruluyorlar. Oluyor yani.

Şeker paketini almışım -bu yerlerde kesme şeker olmuyor biliyorsunuz: paket paket siyah ve beyaz- a! fincanıma boşaltıyorum diye, kül tablasına boşaltmışım aynen.

Garson kız görmüş. Şimdi dönüp garson kıza hesap verecek mütereddit yaşlarım çok gerilerde, çok gerilerde.

Emin ellerle bir paket daha alıyorum. "Evet, gördüm. Deminki paketi kül tablasına boşaltmışım. Ama şimdi duruma hâkimim. Bu paketi fincanıma boşaltmam gerektiğini -mademki şekerli içiyorum çayımı- farkındayım."

Böyle bir düşünceler vs. İkinci paketi haşırt diye yırtmışım. Ve yine kül tablasına!

"İnsanın dalgınlığıyla mutsuzluğu arasında doğrudan bir orantı var: Ne kadar mutsuzsan, o kadar unutkan oluyorsun," diyorum akşam masada.

"Hayır, hiç de değil," diyorlar.

Düelloya davet edilmeyecek kadar zayıf bir düşünce oysa benimkisi. Öyle, yapmaya bayıldığım süpürücü genellemelerden biri.

İtiraz, itiraz! Neymiş âşıkken mutlu olurmuşsun da, dalgın da olurmuşsun.

"Âşıkken mutlu mu olunur yani?" diyorum. Ortaya karpuz gibi dalgınlık/aşk/mutsuzluk üçlemesine dayalı bir veciz arttırabilirim. Takatim yok. Düello arzum da.

Kesiyorum.

Bülent Ecevit Beyaz Saray'ın kapısında: "İsrail'le olan ilişkilerimiz yani Amerika Birleşik Devletleri'yle olan ilişkilerimiz açısından..." diye başlamış lafına.

Çok mu yükleniyorum son günlerde ona, diye düşünüyorum.

Bir deri bir kemik. Minicik kaldı. Clinton'ın karşısında masaya dayandığı fotoğraf filan, içimi acıtıyor.

Emin Çölaşan köşesinde onunla katıldığı bir televizyon programını anlatıyor. Ayağındaki yazın en sıcağında giydiği altı kalın lastikli ayakkabıları. O ayakkabılardan yola çıkıp hasta olduğuna dair nasıl bir sonuca varıyor anlamıyorum. Ben severim yazın kışlık ayakkabılarıyla dolaşan insanları. Güvenilir bulurum.

Ama ayakkabılarının tasviri. Kuzguni boya siyahı, tepesi açılmış saçları. Kibar kibar, "Teşhisi sizler koyun," deyişi filan, içimi acıtıyor.

Kocaman bir goril olmak, King Kong filan olmak, kucağıma kaptığım gibi, onu ıssız güzel bir adaya götürüp bırakmak istiyorum.

Kitaplarla dolu, şöminesi filan olan güzel bir evi olan ıssız bir adaya. Verandada otursun, sallanan hasır koltuğunda kitabını okusun. Botaniğe merak salsın. Bir kavanozda üç tane kırmızı balığı olsun. Balıklarının adı: Rahşan, Bülent, Hüso olsun.

T.S. Elliot'ı Türkçeye çevirmiş, Hint edebiyatına hâkim bir adam. Yetmişini geçmiş. Yorgun. Çok dalgın.

Mecbur mu? Niye böyle tüketsin ki kendini? En güzeli adam gibi yaşlanmak değil mi? Yaşlandığını kabul ederek yaşlanmak. Köşene çekilmeyi bilmek. Bunun güzelliğini içine sindire sindire. Kargatulumba, kopararak atılarak değil. Kendin arzu ederek. Güle oynaya.

"Evet, bu kadar. Benden bu kadar," diyerek. Ayten Alpman geçenlerde bir röportajında: "Yaşlıysam yaşlı gibi görünmek isterim," diyordu. "Yaşlanıp da genç gibi görünmek isteyenleri hiç anlamıyorum."

Onca estetik ameliyat, onca diyet, etimek, galeta, onca didinme yırtış yırtış: Neye benziyor ki o 'gençliğinden güzelliğinden HİÇBİR ŞEY kaybetmeyen' kadınlar? Yalnız ve yalnızca çokçokçok estetik ameliyat geçirmiş mumya kadınlara. Yani sonuç olarak 'sözümona genç gözüken' gerili yaşlı kadınlar oluyorlar. O kadar. Bir de ruhlarına habire estetik yaptıranlar var. Ya da buna dahi takati olmadığı halde, kenara çekilemeyenler.

Yaşlanırken hırs, iktidar arzusu, başrol tutkusu gibi bavullarından kurtulamayanları anlamıyorum. Tüm o fuzuli duyguları tek tek silkip atamayanları.

Hafifleyemeyenleri. Bir daireyi tamamlayıp çocukluklarına dönemeyenleri.

'Metal yorgunluğu' gemilerde dahi, metallerde dahi oluyorsa; yorulmaya, bıkmaya, terk etmeye hakkımız olduğunu, dahası bunun harikulade güzel olduğunu, göremeyenleri.

BÜYÜK TÜRK YALANCISININ BÜYÜK DÖNÜŞÜ!

Kötücül bir kuş gibi, ülkemizin üstüne çöktü Mehmet Ali Ağca'nın geri yollanmasının haberi.

Hayır! Hiç sevinmedim. Bir şeyler aydınlanacak diye.

Hayır! Bir 'şeyler' aydınlanmayacak.

Mehmet Ağar'ı 'suç işlemek amacıyla teşekkül oluşturmaktan' Yüce Divan'a YOLLAMAMA kararı aldı 'ilgili' Meclis Komisyonu. Perşembe günü. Yani Mehmet Ağar, en yakın tarihimizin, bu en derin şaibeli ismi, AKLANDI. 6'ya karşı 8 ret oyuyla. DSP'li 4, ANAP'lı 2 milletvekiliyle; DYP ve FP'li birer milletvekilinin oylarıyla Yüce Divan'a gönderilmiyor Ağar.

Şimdi kalkıp kimsenin bu Meclis'e güvenmesini beklemeyelim.

Şimdi kalkıp daha Susurluk'un altından kalkamamışken, Susurluk'un altından kalkmaya, tüm o mafya-polis-derin devlet üçgeninin üstümüze yığdığı ağır pisliklerden kurtulmaya çabalamamışken; böyle bir çabayı göstermeye ne arzumuz, ne kararlılığımız, ne de mecalimiz olduğunu böylesine kanıtlamışken...

Hayır! Daha kokusu burnumuzun direğini bunca sızlatan bu yakın ve açık pisliklerden kurtulma konusunda böylesine gayretsizken, kimse benden Mehmet Ali Ağca'nın tetikçisi olduğu büyük oyunun sırlarının günışığına çıkarılacağına dair, bir nebze umut beklemesin.

Washington Post'tan Michael Dobbs, 1984 yılında Roma'ya gidip Mehmet Ali Ağca'nın bahsettiği 'Bulgar bağlantısını' araştırıyor. Aylarca. Aylarca.

Washington Post'tan alıntılayan Hürriyet'ten alıntılayarak yazıyorum. Şöyle diyor Michael Dobbs: "O zaman kani oldum ki, Bulgar bağlantısı, hapisteki Ağca'nın serbest kalma umuduyla uydurduğu bir şeydi. Şimdi buna daha da inanıyorum: UZMAN BİR YALANCI VE PERDELEYİCİ olarak, İtalyan savcılarına duymak istediklerini düşündüğü şeyleri söyledi ve ABD'deki sağ kanat komplo teorisyenleri ve CIA'dan yardım aldı."

Hayatının bilmem kaç yılını Ağca'yı sorgulamakla geçiren savcı da aynı şeyi işaret ediyor: Ağca'nın muhteşem bir yalancı ve manipülatör olduğu hususunu.

İpekçi'nin katili olarak yakalanıp konulduğu cezaevinde Papa'yı vuracağını müjdeleyen, daha sonra Papa'yı vuracağını Milliyet Gazetesi'ne haber veren, Viyana'da önce buluşup sonra yanlarından ayrıldığı Çatlı ve Çelik'e telefon açıp Papa'yı vuracağını bildiren Mehmet Ali Ağca, birilerine çoook güveniyor olmalıydı.

Onu Malatya'daki basit soygunculuk günlerinden alıp, dünyanın en meşhur vurucu adamı mertebesine yükselten birilerine.

Zira Abdullah Çatlı ve Oral Çelik telefonla gelecekteki parlak icraatını haber veren Ağca'ya: "Sen o işin adamı değilsin, yapamazsın," deme basiretsizliğini gösteriyorlar.

Hor görme garibi... Hele hele arkasında bilmem kaç milletin Gladio'su varsa... NATO ülkeleri içinde örgütlü Gladio'nun amacı ne? Komünizmin ipini çekmek!

E ne yaparsın komünizmin ipini çekmek için? Türk Malı bir pisliğe Papa'yı vurdurursun. Sonra da Bulgaristan TALİMATLI olduğunu açıklatırsın.

Açıklatırsın ki, komünist ülkelerdeki dinine hâlâ gizlice bağlı halk galeyana gelsin! Sözüm ona.

Her halukârda komünist ülkelerin nasıl tehlikeli, nasıl tehlikeli, nasıl ortalığı karıştırmaya, Papa'yı vurdurtmaya filan meraklı olduğunu sergilersin.

Gladio'nun Türkiye versiyonu olduğu savunulan Özel Harp Dairesi'ne teslim edilen silahların, o sıralarda 'ülke için terör eylemlerinde bir tarafı tutarak kullanılıyor olduğu kuşkusu' doğuyor.

Kimde? Zamanın İçişleri Bakanı Hasan Fehmi Güneş'te. Ayrıca 'konu' hakkında konuştuğu Başbakan Ecevit'te.

Ağca'nın, İpekçi'nin öldürülmesiyle ilgili bildiği her şeyi anlatmasına kim engel oluyor peki?

İstanbul Sıkıyönetim Komutanı Orgeneral Necdet Ürüğ!

Ağca hangi cezaevinden uçarak kaçıyor?

Maltepe ASKERİ Cezaevi'nden. (Büyük bir daire çizerek şimdi Kartal Cezaevi'ne konuyor.)

Üstünde ne var kaçarken? Noel Baba'nın, pardon, Meryem Ana'nın kendisine yolladığı ASKER üniforması.

Niye yolluyor asker üniformasını Meryem Ana, Ağca'ya?

Fatima Kasabası'nda çocuklara verdiği politik sırları, illa da

Sovyet Bloku'na dair sırlardan sonuncusunu gerçekleştirsin: Papa II. John Paul'ü vursun diye.

Vursun ki, Papa'nın kendisini ziyaretinden başlayarak Ağca, Mesih palavralarına başlasın. Sonunda da Fatima'nın sırlarının, en sırrı, üçüncüsü çıksın. Sonra da, İtalya bağışlayıcı ve esirgeyici Papa'sını vuran bu kronik yalan dolancı Türkten kurtulsun. Üçüncü elma, büyük Türkiye'nin, Ağca'nın tetikçisi olduğu görüşün koalisyonun ağır ve dürüst abisi olduğu Türkiye'nin, kafasına düşsün! Betonla kaplanmış olarak. Kurşun ve pislikle kaplanmış olarak!

ÇANTANIN KİME VERİLDİĞİ MESELESİ AYDINLANIYOR

Salı gecesi Mete Has, yine Uğur Dündar'daydı. O orda değildi de, Uğur Dündar'ın hemen yanı başında Murat Demirel'in bahtsız koruması oturuyor; Mete Has ise bir vesikalık fotoğrafının arkasından önünden telefonda konuşuyordu.

Fonda: Beni yak kendini yak her şeyi yak.

Aşk için ölmeli aşk o zaman aşk

çalıyor, yılın Arkadaşlık Portakalı, bir kez daha teğelleri bir türlü tutmayan hikâyesiyle ısrarla ekranları dolduran, Sayın Has'a gidiyordu.

Mete Has, kendisine verilen kaparo için -ki kaparo tuhaf bir 650 bin dolardan oluşuyor ve imar izni koparılamayan bir adanın, bir kısımcığının karşılığının kaparolarda âdet olduğu üzre bir kısımcığına tekabül ediyordu- bir makbuz imzalayıp, bir de aldığını iddia ediyordu. Şimdi, kaparoyu alan Mete Has'tı. Buna karşılık makbuzu imzalıyor ve kendi imzaladığı makbuz -makbuz sülalesine ihanet edercesine- kendisinde kalıyordu. (Anlaşılan Uğur Dündar'a hikâyeyi İLK naklettiğindeki versiyon buydu.) Ve kendisine verilen para karşılığında, kendisinin imzaladığı makbuz, bizzat kendisinde bırakılınca; o da natürel olarak bu lüzumsuz makbuzu yırtıp atıyordu.

Daha sonra Reha Muhtar'la konuşurken, yırtıp attığını söylediği BU makbuzu, bir yerde saklamış olabileceğini hatırlıyor: "Ben bi bakayım. Bulursam ortaya sererim" tarzı, makbuzu aramaya karar verdiğini ilan eden İKİNCİ bir versiyon çıkarıveriyordu.

Salı gecesi Uğur Dündar bu iki hikâye arasındaki çelişkiyi sorunca -sıkı durun- kendi imzaladığı makbuzları 'prensibi olduğu' üzre yırtıp attığını; ama saklamış olma ihtimaline karşı, Reha Muhtar'a "Bİ BAKAYIM" dediğini anlatıyor; bu esnada arada bir Uğur Dündar'a Muhtar bey diye hitap ediyordu.

Bu saçmalıkları saçmalarken, araya yeni bir versiyon daha sıkıştırmadan edemedi ve kaparoyu Murat Demirel'e geri verdiğini, daha sonra makbuzu DA iade ettiğini söyledi. Yani prensip olarak YIRTILAN, saklanma ihtimaline karşı ARANAN makbuz, arada Uğur Dündar'ın nedense atladığı versiyonda bir de İADE EDİLMİŞTİ. Bu kadarı hakikaten pesti!

Yine Mete Has'ın ısrarlı ve savruk iddiaları, Rauf Tamer'in garsonu, Garson Ayhan'ın kendisini -2 yıl önce- kapıya çağırdığı ve parayı (tabii makbuzu kendi imzalayıp, kendi alarak) kendisinin aldığı yönündeydi. Koruma ise ısrarla, çantayı 40-45 yaşlarında bir bayana verdiğini söylüyor; hatta kendisine Rauf Tamer'e teslim etmesi sıkı sıkıya tembihlendiği için, önce Murat Demirel'in sekreteri Yasemin Altıparmak'ı arayıp, onun onayını aldıktan sonra, kapıyı açan hanıma verdiğini iddia ediyordu. Korumanın anlattıkları, sekreter Yasemin Altıparmak tarafından da satır satır doğrulanıyordu. Mete Has, çantayı Garson Ayhan'ın yönlendirmesiyle bir erkekten almıştı. Murat Demirel'in koruması çantayı bir kadına vermişti.

Burda ortaokul, lisede mantık dersi görmüş olmasını dilediğimiz Mete Has, çok çok haklı olarak birden fazla çanta olabileceğine işaret ediyordu. İşte bu, çok yerinde bir çözüm önerisiydi. Tabii başka ihtimaller de mevcuttu.

1) Rauf Tamer'in evine sürekli Bond çanta içinde dolarlar yollanıyor, bunlar kapanın elinde kalıyordu. O gün açıkgöz Mete Has çantayı kapmıştı; başka bir gün başka birisi. Başka bir gün.

2) Garson Ayhan, bir travestiydi. Mete Has'a kapıda korumanın belirdiğini haber vermeden, ona gelen çantayı teslim almış; sevgili arkadaşının evinde travesti bir garson çalıştırıyor olmasının halkta infial ve gazetecilik hayatında zemin kaybı yaratacağını düşünen Mete Has, bu hikâyeyle ortalığa saçılmıştı.

3) Mali durumu bozuk olan Mete Has, bir yandan ada mada satıyor; bir yandan Rauf Tamer'in evinde garsonluk yapıyordu. Garson Ayhan, O'ydu.

4) Rauf Tamer, Sabah'tan aldığı köşecilik maaşıyla o evi, o garsonu filan almış olabilemeyeceği için, evini böyle para teslimatı işleri için kiralıyordu. Aslında o, evini dizi film çekimleri için kiraya verdiğini zannediyor; ama gerçeği bilen kadim dostu Mete Has, her şeyi üstüne alarak onun o ince dünyasının yıkılmamasını sağlamaya çalışıyordu.

5) Koruma yolda kaçırılıp, sihirli mantar yedirilerek yoluna devam etmesi sağlanmış, bir halüsinasyon neticesinde Garson Ayhan'ı hiç görmemiş, Mete Has'ı ise 40-45 yaşlarında bir bayan olarak algılamıştı.

6) Dilim söylemeye varmıyor, ama evinde düzenlediği kıyafet balosunda Divinia Prince kılığına girmiş Rauf Tamer kapıyı açmış; çantayı arkadaşı adına tesadüfen o teslim almıştı.

7) Mete Has, Divinia Prince kılığına girmişti. Koruma onu 40-45 yaşlarında bir bayan sanmıştı.

Ve daha nice nice ihtimaller... Burda duruyorum.

İĞRENÇ MAHLUKAT

Türk gazeteciliğinin 'duayenlerinden' biri 'Kim 1 Milyon Dolar İster?'e katılıp kazanmış. Açgözlü mevduat sahiplerinin, hortumlanan devlet bankalarının parası zaten söz konusu paralar. Murat Demirel'in Egebank'a talip olduğunda cebinde bir rivayete göre beş bin doları, bir diğer rivayete göre beş milyon doları var: Hiç fark etmez! Daha sonra onlarca milyon doları, cebine indirecek. Bu cepleme operasyonu sırasında, kimi köşecilik büyüklerine bir milyon dolar damlatsa, sarsılmaz yani.

Bu köşeci, güç simsarlığından böyle bir meblağı götüren ilk gazeteci değil, kuşkusuz. Gazetecilik hiç de ahım şahım para getiren, getirebilecek bir meslek değil. İdareci filan da değilseniz aynı zamanda. Ama etrafta acayip arabalarla dolanan, acayip evlerde oturan, acayip servet sahibi birtakım köşeciler müşahade ediyorsanız, biliniz ki onlar esasında 'yan kaynaklardan', yani güç simsarlığından beslenmekteler.

Bu köşeciler, köşecilikleriyle esasında, daima benim için bir muamma teşkil etmişlerdir. Yazılarını, tahammül edip okursanız, her daim: "Ne bu yaa?" olursunuz. Hep ne şiş yansın, ne kebap yazılar. Tavşana kaç tazıya tut. Aba altından sopa göstermeler. Öyle 'ince ayarlı bir üslup' olarak tanımlanan sade suya tirit, her kahvehane büyüğünün attırabileceği demagojik yoyolamalar... Çoğunlukla gazetenin baş ya da kıç sayfasından girer bunların inci dizileri. Haftada iki-üç bakar: "Bu herif burda yazmasa ne yazar ki?" diye düşüneyazarım. Tamam! yazdıkları gazeteler de kimliklilikten kırılmıyorlar. Yine de çıkarın bu acayip pahalıya patlayan köşecileri, gazetenin gidişatında hiçbir şey değişmez. Hiçbir okur çıkıp: "Nerde benim köşecim? Nerde benim fikrime tercümanım?" demez.

Evet! Limited akıllarınca pek ince hesaplarla dokudukları yazılar, gönül ve mide bağıyla bağlı oldukları hazretlere alenen hizmet etmektedir. Ama bunların asıl işlevi, yıllardır enseye tokat oldukları Çok Mühim Zevat'a bir telefonla iş hallettirebilmeleri. İşte milyon doları, savcılara dosyaların varlığını unutturabildikleri için, polislere köstebeklik vs. hizmetleri verdirebildikleri için, icabında pek gerekli bir KHK'yı çırpıştırttırabildikleri için, böyle ciddi bir anahtar görevini gördükleri için, hak ediyorlar.

Bir de bunlar her beş-on yılda bir, bir mühim gazeteden diğerine transfer olurlar. O zaman ortalık yıkılır. Sanki bir halt oldu! Bu transferlerin de güç simsarlığı liginde mühim karşılıkları var tabii. Yoksa cidden, bunlar gazete değiştirse ne yazar; o can sıkıcı formüllerle işleyen köşelerini yazsa ne yazar, yazmasa ne yazar.

Geçen gün gıcır gıcır pokemon desenli okul çantasıyla yürümekte olan arkadaşının yanında; solmuş, düğmeleri kopmuş çok yıpranmış çantasıyla yürümekte olan, kalın cam gözlüklü çırpı bacaklı bir ilkokul kızı, dikkatimi celp etti. "Birinin eskisini kullanıyor," diye düşündüm. "Ya da iki-üç yıldır aynı çantayı kullanıyor." Bu koca gözlüklü yoksul kıza, büyüyeceği yıllarda ne vaat ediyor Türkiye? Ya en eskisinden bir okul çantası, en beterinden bir sıra, bir derslik, bir öğretmen sahibi dahi olamayan binlerce, on binlerce çocuğuna?

O gözlüklü çırpı kızın hakkını, tüm o okul yüzü görmeyen çocukların hakkını çalıyor tüm bu gazetecisi, yeğeni, köstebeği, savcısı, reklamcısı, bankacısı ile bu iğrenç mahlukat.

Benim bu ensesi kalın, iri kıyım, boyu posu yerinde adamları, boyalı saçlarıyla en düşük eğlence panayırlarında iğrenç kahkahalarını salıveren kadınları görünce, içimden elimdeki sert ve hayali bir çantayı enselerine doğru indiri indirivermek geliyor.

Bir de ne zaman mühim bir devletluyla karşılaşsam, tuhaftır, hop diye çıkarıp sakladığım tabancayı, vurduğum o zatı, canlanır gözümün önünde. Bir suikastçı olmak için içim gider! Etraflarındaki polislerin üstüme nasıl atılıp nasıl yumruklayacaklarını, nasıl beni yere yapıştıracaklarını, nasıl canımı acıtıp yüzümü dağıtacaklarını hayal ederim. Beni bu zevat karşısında, çocukluğumdan beri, beni aşırı zenginlerin karşısında bu ağır öldürme arzusu, kendimi bildim bileli, hiç yalnız bırakmadı. Dudaklarımdan boşanan kanı yaladığımı düşünürüm. Ancak bu habire tekrarlanan hayalle teskin ederim kendimi.

Kadın pazarlayarak, karı kız ikram ederek semirmiş reklam patronları! Güç pazarlayarak semirmiş köşeciler! Menfaat ağlarını örmekten başka bir halta varamayan örümcekvekilleri! Hepsinden iğreniyorum. İçerde kolu dozerle koparılan genç adamdan, geleceksiz o yoksul kıza hepsinin, herkesin acıklı hayatının müsebbibi onlar. Onların içinde debelendikleri o iğrenç lüksün, başlarına yıkıldığını görmek için çıldırıyorum. Suikastlarım, evet yalnızca, birer ham hayal.

AÇIK ARA

❁

Kenan Evren açıp ağzını konuştuğu zaman, Marmarisli mütekaitin münasebetsiz sabuklamaları deyip, geçemiyoruz değil mi?

Demeyi çok isteriz. Çok isteriz geçmeyi. Ama son yirmi yıldır içinde debelendiğimiz berbatlığa damgasını vurmuş biri konuşuyor, işte. Bataklığımızın müsebbibi!

Şimdi çıkıp emekli bir general konuşuyor: "Postmodern bir darbeydi," diyor. Tak-şşşrak ilişkisini medyayla, o güzelim 'CÜRET EDEMEZDİ' lafıyla, ne kadar da sakıncasızca, ne kadar direkt, öyle minimalist bir üslupla açıklayıveriyor.

Tabldot bu: Yerse-NİZZ.

Sonra 'cüret edemezdi'yle kastedilen gazeteci, "Cüret etmiş ve esprili bir cevap da vermiş olduğunu" açıklıyor. Doğrudur.

Haklıdır. Cüret, muhakkak, etmiştir. Ama o -AÇIKLIK: hakikatle algılama arasındaki o can alıcı boşluk. Görüyoruz ki, Türklerin meselesi, hakikatte cereyan edenlerle, onların cereyan edenleri algılama biçemidir ve hakikatle algılama arasındaki o hastalıklı boşluk, tam tamına demokrasiyle hakiki bir hukuk devleti olmakla aramızda bulunan araya/açıklığa/boşluğa tekabül etmektedir.

Bu nedenle, Türkiye 'açık ara demokrasiyle' yönetilmektedir.

Silahlanmaya bütçemizden ayırdığımız PAY, Soğuk Savaş yıllarında soğuktan titreyen ülkelerin ayırdığı paya eşittir. Gelişmiş ülkeler, silahlanmaya ayırdıkları payı habire azaltmakta, 'gelişmekte bulunan' açık ara ülkeler azaltamamaktadır.

Baktığımız her yerde, bir komplo görmekteyiz. Avrupa Birliği resmen ve alenen bölünmemizi istemektedir: Zira, daha demokratik, tam demokratik, tam hukuk devleti bir Türkiye istemektedir.

Avrupa Birliği, bizzat kendi kendimize gerçekleştirdiğimiz talana bir DUR! dememizi istemektedir.

Avrupa Birliği, askeri harcamalarımızı azaltmamızı, yoksul halkımızın hayat standardını yükseltmemizi istemektedir.

Avrupa Birliği içerde ve dışarda, aşırı şefkat gösterileriyle her çeşit muhalifimizi temizlememizi, yakmamızı, tecrit etmemizi istemektedir.

Askeri bir yetkili -askerin yetkilisi çok oluyor- çıkıp Avrupa'nın bizi bölmeye yönelik sinsi planını teşhis ve tabii dayanamayıp teşhir etmektedir.

Bugün, Türkiye'de popüler kültürün mümtaz şahsiyetlerinin, Televole kral ve kraliçelerinin, eleştiriye zırnık tahammülleri yoktur: Onları sevmeyen ölsün-dür. Kendileri hakkında en ufak bir laf edildiğinde, zaten hiç inmedikleri medya sahnesine fırlayıp carala carala carala 'laf' yetiştirmektedirler. Zira bu PR çağında, cevap şaklatmayan ezilir, biz işte ENNN üstteyiz bu böyle biline, mesajıyla yaşamakta ve kavrulmaktadırlar.

Askeriye de son yıllarda en ufak bir imada; ekranları, basını dolduran demeçler patlatmakta, ne denli mühim olduklarının, ne denli başrol, ne denli dizginler elde; mutlaka ama mutlaka kalın çizmelerle, yani çizgilerle altını çizmektedir. Askeriye, Türkiye için bu denli mühim midir? Dahası askeriyenin Türkiye için bu denli mühim olması, gerekli midir?

Acaba askeriyenin hakikatle algılama biçemi arasındaki muhakkak boşluk, Türkiye'ye nelere mal olmaktadır? Bu açık ara demokrasiyle Türkiye 'çabalama kaptanların ülkesi' olmak dışında, başka hiçbir şey olma şansına ve hakkına sahip midir?

Türk halkı da bizzat aynı 'açık ara'dan mustariptir. Ülkenin Adalet Bakanı'nın F tipleriyle ilgili olarak operasyon öncesi verdiği sözleri yutması, birilerinin yakılmış, işkenceye uğramış olması, şüpheye yer yok ki, Türk halkının büyük çoğunluğunu Fatih Terim'in İtalya'daki başarılarından, çok çok çok daha az ilgilendirmektedir.

Kenan Evren'in ülkeyi kasıp kavuran oligarşik idaresinin eseri olan Anayasa ise açık bir yara gibi ortada durmakta; uygulamakta en sadık, en en ısrarcı hizmetkârlarını dahi "Bu Anayasa'yla bunlar olur," diye sahte isyanlara sürükleyebilmektedir.

Bu Anayasa'yla, evet bu kadar demokrasi.

Bu algılamayla, evet bu kadar demokrasi.

Bu güç dağılımıyla, ya da güç dağılımının böyle cereyan ettiğine dair bu tavizsiz ısrarcılıkla, bu kadar demokrasi.

Hakikatlerin değil, algılananların 'gerçek' kılındığı buralarda, bu kadar demokrasi.

Evet: Açık ara demokrasi.

SİZİN EKONOMİ GURUNUZ KİMM?

Midemize ekonominin o ağır yumruğunu yemiş, başlar önde iki büklüm dolaşıyor; ekonomiye HAK ettiği/ya da hak ETMEDİĞİ önemi veren kanallara çakılı, neyi nerden sıyırtabiliriz acaba diye bezgin bir inatla, ekranlara bakıyoruz. Gerçek bir DEPREM hali. Depremde nasıl depremcilere bel bağlamıştık, aralarında sevdiklerimiz ve sevmediklerimiz vardı, birimiz birini, diğerimiz diğerini güvenilir ve sempatik, antipatik ama kayda değer, medyatik ve fuzuli: renkler ve zevkler meselesi işte, buluyorduk. Ama anlaşılan oydu ki: DEPREM geliyorum demiyordu. Bu ekonomik depremse, "Geliyorum! Huhuuuu! Böyle başa böyle tıraş" diye uzun zamandır bağırmıştı. Bağırmamıştı da, söylemişti. Söylememişti de, fısıldamıştı.

Ama anlaşılan Türk Malı bu ekonomik deprem de, aynen doğal bir afet gibi gelmişti. Yapacak hiçbir şeyin kalmamış olması, bunu pozitif bir bilimin hesaplı kitaplı efektlerinden ziyade, 'Doğal Afetler' kategorisine sokmamızı icap ettiriyordu.

Zamanında (hem uzun uzun) Dünya Bankası 2. Başkanlığı'nı yürüten Atilla Karaosmanoğlu, CNN Türk'te Yavuz Baydar'ın 'Soru Cevap'ında aynen şöyle demişti: "Ben 50 yıldır mesleğim gereği pek çok kriz gördüm. Bazılarına da konumum nedeniyle müdahale etme durumunda kaldım. Ama şunu itiraf etmeliyim ki, hayatımda BÖYLE bir krizle HİÇ KARŞILAŞMADIM."

Ben Atilla beyi izlerken yalnızca değerli bir iktisatçımızı tanıma (ekrandan) şerefine nail olmadım. Yıllarca diyar diyar dolaşarak aradığım GURUMU DA BULDUM. Evet. Ben ekranlarda, meydanlarda, sinemalarda, kapaklarda ve manşetlerde; sükûnet, dirayet ve Bic Mac'lere en muhtaç olduğumuz şu günlerde yalnız ve yalnızca bu beyefendiyi görmek istiyorum.

Bir kere diş yapısı sebebiyle de, daima gülümsüyor, ya da öyle görünüyor. Öylesine dingın, huzurlu ve efendi ki... Yırtış yırtış, hiçbir şey sergilemiyor. Kendini pazarlamıyor. Özgüvenden çatlamasına ramak kalmış insanların, 'Ay patlar da üstüme sıçrar mı' gerilimini ASLA yaratmıyor. Tibetli Budist bir rahip kadar tamamlanmış ve özendirici.

Evet, dünya yüzünde eşi menendi bulunmayan bir kriz yaratmış olduğumuzu; o tatlı, o beyefendi, o yumuşacık stiliyle söylüyor. Ama itip kakmıyor bizi. 'Hepimiz aynı gemideyiz' sinyallerini öylesine asude bir ruhaniyetle çakıyor ki, ben onun gemisinde olmak istiyorum. Benim ekonomistgurum eğer olması şartsa, o olsun, bana dualarını, pardon ekonomiyi, o öğretsin istiyorum.

Bu arada Serdar Turgut yazardı yazardı da, inanmazdım. Daha doğrusu, içime fenalıklar getirdikleri için, onun 'Televoleci

Ekonomistler' lakabını taktığı 'Bu Üçlüye Dikkat'e 30-35 saniyelik sürelerden uzun bakmamıştım.

Geçenlerde üçü Galatasaray İktisat öğrencilerinin konuğuydular. Hele o Asaf. Savaş. Akat. Hele o Asaf Savaş Akat! Allahım insana; ekranın içine dalıp, onların bulunduğu platforma zıplayamayacağımıza göre, üstümüzü başımızı parçalama arzusu veriyor. Öyle bir ölçüsüz, izansız, insafsız kendine güven. O ne rezonanslı, o ne tok, o ne hiç kısılmayan, kapanmayan, dur durak bilmeden harcıâlemi hadis buyururmuşçasına tekrarlayan SES öyle! Adeta bir Yaşayan Yankılı Vadi olayı.

Mahfi Eğilmez de ona uymuş, o sinir illeti pantolon askılarından takmış (başlı başına bir psikanaliz mevzuu); ama o dahi, arada darallara esir düşüp "Şimdi öğrencilerin sorularına geçelim," yapmakta. Malumun kendi rezonanslı sesinden ilanına meftun olmuş görünen Sn. Akat tonkluyor bu defa: "Şurda İKİ LAF edemeyecek miyiz yani? Nininini."

İnanın, Türk ekonomisinin en ümitkâr, en pozitif, en hep hoplayalım, zıplayalım şahsiyeti Deniz Gökçe dahi Karadeniz'de gemileri batmış vaziyette (oysa Akdeniz, Marmara ve Ege'de de battı); korsan bandajlarını bağlamış, sus pus oturmaktaydı. Cümle âlem taksi şoförlerinin bilip, habire anlattığı gerçekleri, anlat anlat (Bu ne keyif mirim: Çarşamba sabahı DOLAR'a mı geçtiniz?) anlatmalara -hakikaten kendi sesine âşık olma vakası- doyamadı Asaf olsun Savaş olsun Akat.

Bu kara günlerimizde, HİÇ kimsenin, hepimizin sular seller gibi bildiği oluşumları sarkıtları ve dikitleri bu mağarada, topaçlayarak bizleri daraltmaya hakkı yok. Hayır! Nasıl bazı deprem uzmanlarımızdan ağır kıl kapmışsak, bazı ekonomikdeprem uzmanlarımızdan da öyle. Benim yalnızca Atilla beye tahammülüm var: Hakiki bir tevazu ve yalınlığa. Budistçe bir asudelik ve pozitif titreşimlere.

EŞŞEK YERİNE KONMAK

İki 'şe'yle. Zira söz konusu ettiğimiz o güzel gözlü, mahzun bakışlı hayvan değil. Söz konusu ettiğimiz, biz insanlar. Eşşek yerine konulunca küfrü yemiş oluyorsun. Eşşek yerine konmuş oluyorsun.

Türkiye Cumhuriyeti seçmenlerinin oylarıyla işbaşına gelmiş bulunan Diyarbakır, Siirt ve Bingöl illerinin belediye başkanları içerde şimdi. HADEP'li belediye başkanları gözaltına alındı. Başımızdan atmayı bir türlü beceremediğimiz, örgütleyemediğimiz, DGM'nin Başsavcısı'nın 'müzekkeresi' üzerine. Soruşturma ve gözaltı işlemini ise (her ne hikmet ise) jandarma yapıyor. Bir başka Hikmet, Adalet Bakanı Hikmet Sami Türk: "Bazı aşırılıklar var. Onaylamamız mümkün değildir," diyor.

Buna karşılık bakanlığı methiye şahikalarına mezura olan İsmail Cem daha bir Süleyman Demirel ağzı ile: "Türkiye'de yargı bağımsızdır," diyor.

YAAA, ÖYLE Mİ? Ben Türkiye'de mesela, yargının bağımsız olduğuna inananlardan, maalesef, değilim. "Top yuvarlaktır," dese mesela daha çok inanacağım. Sonra da ilave ediyor. Cem'okrasi'nin bizatihi kendisi İsmail Cem haşmetmeapları: "Türkiye için ülkenin bölünmezliğinin birinci derecede önemli olduğunu DA unutmamak gerekir."

ÜLKENİN BÖLÜNMEZLİĞİ!

O kadar çok duyduk ki bu tehdidi. O kadar çok. 16 yılda bize 150 milyar dolar ve tabii çok çok daha önemlisi 30 bin cana mal olmuş bir savaştan çıkmak üzereyiz. (Ve tabii acaba çıkmak üzere miyiz?) İnsanın, tüm o 'savaş lobisi' 'Türkiye'nin Avrupa'yla bütünleşmesine hiçbir zaman razı olmayacak derinn güçler' komplo teorilerine, inanası geliyor. İnanası geliyor Türkiye'nin hiçbir zaman aydınlığa çıkmasını, demokratikleşmesini, bir hukuk devleti olmasını, istikrara kavuşmasını istemeyen o sinsi, o bilinmedik ve çokça da bilindik güçlerin hep kazanacağına, içi titreyip yüreği burkularak inanası geliyor. Bu savaşın, bu pahalı, bu acılı, bu kanlı savaşın birilerine yaradığına, birilerinin borusunun ötmesi için, süregitmesinin elzem olduğuna; insanın inanası geliyor.

Ama ben inanmak istemiyorum. Ben Türkiye'nin arpa boyu yol gideceğine, gidebileceğine inanmak istiyorum. Türkiye'nin istikrara, demokratikleşmeye, eşitliğe layık olduğuna ve buna kavuşacağına inanmak istiyorum. Şiddetle. Taze taze. Yoksa bu kalbi kırıklıkla yaşayamam. Bu umutsuzlukla. Yoksa 'içerde' olmadığım için kendimden utanasım gelir. İsyan etmediğim için.

Diyarbakır'da belediye başkanları gözaltına alındığı için, ona oy verip de oylarıyla, varlıklarıyla eşşek yerine konmuş olan seçmenler, yürüyorlar. Polis üstlerine saldırıyor. Ekranın karşısında bu sahneleri izlemektense, orda itilip kakılıp dayak yemeyi bin kere yeğlerdim. Sonuç olarak, hayat neyle kimlerle özdeşleştiğimize bağlı. Ona bakıyor. Ben Diyarbakır'da oy verdiğim belediye başkanının ansızın 'içeri' alınmasına katlanamayan bir seçmen, bir yurttaş olarak görüyorum anında kendimi. Böyle bir adaletsizlik karşısında, orda dayak yiyenler arasında olmadığım, yalnızca ekranın karşısında bulunduğum için, şiddetle utanç duyuyorum.

Türkiye'de -artık çok rica ederim kabul edelim ki- Kürtçülük diye bir mesele var. Terörün hiçbir şeyi çözmediğini, Kürtçü teröristler kabul etme noktasına gelmiş iken... Tüm bu suların bir mecraya akıtılması gerekiyor. Tüm bu kanların suyla yıkanması. Bu demokrasiyle olabilecek bir şey. Politikleşmeyle, taleplerin demokraside, oyunun kuralları içinde istenmesiyle. Peki, Kürtçülüğün demokratikleşmesine izin verecek miyiz, vermeyecek miyiz? Bütün mesele bu. HADEP'in olgunlaşması ve diyelim PKK'yla var ise mevcut tüm bağlarını koparması, zaman alabilir. Zaman alabilir hayatta her şey: PKK dahi büyük bir değişime uğramak durumunda kalmışken. Barıştan yana olmak kolay değil. Barış koşulları, hakiki barış koşulları öyle olgun bir armut gibi kucağımıza düşecek, düşebilecek değil. Gübre de isteyecek, su da. Güneş de isteyecek, çapa da. Sabır da isteyecek, zaman da.

HADEP'li belediye başkanları aleyhine delil olarak belediyelerden kucaklarla toparlanan tüm o delillerin benim indimde hiçbir değeri yok. Refah'ı, daha sonra Fazilet'i kapatma davalarında kucaklanan tüm o klasörlere inanmadığım gibi. Hukuk işliyor mu? Yoksa niyeti bozmuşsanız her şey aleyhte bir delil haline getirilebiliyor mu, paranoyaklığı meslek olarak icra eden 'bağımsız' yargının bağımsız şövalyeleri tarafından? Habire vasiyetlerini yazıyorlar, 10-15 koruma eşliğinde dolaşıp. Oysa asıl korunmasızların kimler olduğu ortada. Bu memlekette seçmenin oyunun beş kuruşluk hükmü yok. Ama bir dahaki seçimlerde benim oyum HADEP'e. O kapatılırsa, onun yerine kurulacak partiye. Zira annem beni şu satırları habire okuyarak büyüttü:

Alma mazlumun ahını, çıkar aheste aheste.

MAKSATLI ANALAR, MAKSATLI ÇOCUKLAR

Biliyorsunuz, uyum içinde gül gibi geçinip giden bir milletiz.

Fransızlara densizliklerinden ötürü acayip kızıyoruz bugünlerde. Sırada İngiltere ve Almanya var. Onlara da çok çok kızacağız. İngilizlerin Hindistan'da yaptıklarını, Almanların Yahudilere zulmünü hatırlatacağız. Hoş, bunları kimsenin unuttuğu, unutturduğu filan yok. Ama biz böyle bir 'tencere dibin kara/seninki benden kara' mantığıyla kendimizi temize çıkaracağız? Temize çekeceğiz? Tertemiz edeceğiz? Öyle bir şeyler işte. Kızgınız. Kızgın.

Allah'tan-en güzeli, teselli edicisi, bu: Sevinçlerimizde ve kızgınlıklarımızda biriz. Birörneğiz. Tektipiz. Bu çok güzel, tabii.

Bir kere, cümleten MAKSATSISIZ. Evet. Birörnekliğimiz burdan başlıyor: Maksatsızlığımızdan.

Daha iyi bir araba, daha iyi bir ev, 'home theatre' gibi büyük ülkülerimiz, bizi arzudan çıldırtan maksatlarımız olabilir; ama burda maksatla kast edilen o değil. Biliyorsunuz bir ara bu topraklarda, maksatlı analar öldürülmüş/kaybolmuş/gözaltında yok olmuş maksatlı çocukları için maksatlı eylemler düzenliyorlardı. Yasakladık. Rahatladık.

Bu maksatlı çocuklar, rahat durmak nedir bilmezler. Başka maksatlı eylemlerinde onları katlettik, susturduk; bugünlere geldik.

Bugünlerde maksatlı bir direniştir tutturdular. Açlık grevleri. Ölüm oruçları. Yok F tipine hayır demeler, yok DGM'ler kapatılsın; şu yapılsın, bu yapılsın. Onlara kaldıydı.

Her neyse, biz maksatsızlığımızdaki tek yumruk halimize güvenerekten bir Hayata Dönüş/Şefkatle Sıkma operasyonu düzenledik. On binlerce mermi harcadık. Hapishaneleri 2. Dünya Savaşı alanlarına çevirdik. Ses bombaları attık, gaz püskürttük, tazyikli sular sıktık, 32 ölü ve yüzlerce yaralıyla operasyonu 'başarı' ile tamamladık. Sağ kalanları, çırılçıplak, daha inşaatı bitmemiş F tiplerine postaladık.

Şimdi onları maksatlarından arındırmaya çalışıyoruz. Ölüm orucunda yüzlerce, belki de binlerce mahkûm olduğu söyleniyor. Bilinçlerini kaybettikleri anda revirlere, hastanelere kaldırıp kollarına serumu dayıyoruz. Bilinçleri yerine geldikleri anda, serumlarını söküyorlar. 'Yer misin, yemez misin' böyle oyunlar eşliğinde, onları yine hücrelerine atıyoruz. Bu tak serumu/söksün serumu oyununu birkaç kez oynayanlar var. Hayatlarını acayip tehlikeye atanlar. Ama maksatlarından kurtulmaları lazım. Ya kurtulurlar. Ya kurtulurlar. Böyle işte.

Tüm medya Maksatsızlar Korosu'nun uyumlu seslerinden geçilmiyor. Ya da maksatsız sessizliğinden.

Beni bir aradı. "İsmim Şükran Ağdaş," dedi. "İrfan Ağdaş'ın annesiyim. Sizinle görüşebilir miyim?"

Ben valla billa maksadım kötü olduğundan değil, daha fenası maksatlı olduğumdan değil, maksatlı birinin sesini de duyalım, maksatlıların konuşmaya hakkı yok mudur; diye düşünerek Şükran Ağdaş'la buluştum, konuştum.

96 yılının, 13 Mayıs'ında Alibeyköy'de Gülistan Sokak, Sağ Yokuşu'nda vurulup öldürülmüş İrfan Ağdaş. Yani oğlu. Anacığının. "Kurtuluş gazetesi dağıtırken öldürüldü," diyor annesi. "Polisle çatışmada öldürüldüğü iddia edildi."

Boynunda oğlunun fotoğrafı asılı. Çekip gösteriyor. Benim derhal gözlerim doluyor. "Çok gençmiş" diye haykırıyorum. "Daha on yedisindeydi" diyor. Şimdi maksatsızlar tabii, kendilerini kendileri dışında kimsenin yerine koymama/koyamama rahatsızlığından mutlu, mesut, mustarip olduklarından, 'Oh olsun' filan da diyo olabilirler. Güzelim bir koro olaraktan. Sonra Şükran Ağdaş, kafayı adaletle bozuyor. "Oğlumun silahı yoktu. Oğlumun kalbini parçaladılar" diyor. "Ne öğrendimse bu sistem öğretti" diyor.

Başlıyor mahkemelere gitmeye gelmeye. Savcı iddianamesinde, İrfan Ağdaş'ın silahının olmadığını, polis aracında yakın mesafeden ateş edilerek öldürüldüğünün tespit edildiğini, bu 'icraati' gerçekleştiren polisi adıyla/sanıyla, bildiriyor. 28 Şubat'ta mahkeme karara varacak. Ama polisin bu 'eylemi' af kapsamına girdiğinden...

Şükran Ağdaş artık maksadından yanına varılmayan bir ana.

"F tiplerinde zulüm altındalar" diyor, "Hâlâ ölmediler deniyor, ölmeleri bekleniyor: Ölecekler çok yakında. 2000'e yakın mahkûm artık ölüm orucunda.

"Aydınlar" diyor, "Bu memlekette aydın varsa, devlet kadar

suçlular. Bu operasyonu, devletin göstermek istediği gibi gördüler. Gıkları çıkmadı."

"Sinir gazları, şok gazları sıkıldı çocuklara" diyor. "Üstlerine beyaz tozları döküp alev makineleriyle nişan aldılar. Ümraniye'de bir kişi (Ahmet İbilli), Çanakkale'de bir kişi (Fidan Kalşen) kendilerini arkadaşları kurtulsun diye ateşe verdiler. O ikisi dışında, hiç kimse kendini yakmadı."

Böyle maksatlı şeyler söylüyor Şükran Ağdaş. Bizi maksatsızlığımızdan silkelemeyi hedefleyen, maksat dolu laflar.

Biz maksatsızlığımızı oturtmuşuz bir kere. Milletçe maksatsızlığımızda TEK KORO olmuşuz. Siz hanım, siz çocuklar: O ölen/öldürülen çocuklar. Maksatlısınız. O kadar.

SESİ DUYULMAYANLARIN SESİ

Birkaç hafta önceydi. Mutfağa tabakları taşıyor, geri geliyor, ana haber saatlerinde çoğunlukla olduğu üzre sofra kur, sofra kaldır tarzı işlerin yamacında, kulaklarımı da haberlere tahsis etmiş bulunuyordum.

'Yananların cesetleri' tarzı bir laf, ruhuma çalındı. Haksızlıkların en ağırına, ilahi bir haksızlığa uğramış bir baba: "Ben bana verilen cesedin, çocuğumun cesedi olup olmadığından dahi emin değilim," diyordu.

Televizyonun karşısına mıhlandım. Cezaevlerine düzenlenen Ağır Şefkat Operasyonu'nun neticesinde, çocuklarının yanmış bedenlerine kavuşan ana babaları konuşturuyorlar, zannettim. Zira ne kadar unutturulmaya çalışılsa da, bizler ne kadar yoğun bir güçle unutmaya, YOK saymaya çalışsak da, öyle bir operasyon düzenlendi işte. Günler ve günlerce sürmüştü devletimizin 'Ağır Şefkat/Gerekirse Yaka Yaka Hayata Döndürüş' operasyonu.

Sonra. Sonra mı? Tısssss.

Şimdi ben bu ülkeyi anlayamamakta, kavrayamamakta, bu ülkenin nasıl işlediğine dair o gizli ve sinsi mekanizmanın inceliklerine nüfuz edememekte bu denli inatçı bir zavallı şahsiyet olarak, atv ekranlarında, ana haberlerde çocukları şöyle ya da böyle yakılmış bulunan, ana babaların konuşturulduklarını, zannedecek kadar...

Amatördüm. Salaktım. Yabancıydım.

Hayır, epey zaman önce yaşanmış bir otobüs kazasında çocuklarını kaybedenler konuşuyormuş. Otobüsteki teknik bir hata yüzünden çocuğunu, gözünün nurunu kaybetmiş; acıların en büyüğüyle, evlat acısıyla kavrulmuş bir trafik mağdurunun, konuşmaya hakkı yok mudur?

Tabii ki vardır. Tabii ki, konuşacaktır.

Peki ya diğerlerinin? ÖBÜR ana babaların? Acılarını paylaşmaya, başlarına getirilenlerin aslında ne olduğunu bizlere anlatmaya hakkı yok mudur? Böyle bir hakkın olmadığı bir ülkede, o operasyonun haklılığı peki, cansiperane, savunulabilir mi?

O ağır, o bizleri günlerce tarumar etmiş operasyon; maksatlı ana babaların maksatlı çocuklarına yönelik, o eşi benzerine dünya tarihinde rastlanamayacak olan o operasyon yoksa olmamış mıdır? Olmamış saymamız mı gerekmektedir? Olmamış gibi yapmamız mı, doğrusudur?

30'u aşkın ölü söz konusu. 500'ü aşkın ağır yaralı. Nerde peki bu yaralılar? Bir haber alıyor musunuz; bir görüntüleri olsun ulaştı mı bizlere? Madem 'kurtarıldılar', madem o nice gazeteciyi 'Yatacaksam böyle bir tipte yatayım' diye şevke getirmiş o muhteşem F tiplerinde, kurtarılmış vaziyetteler, görelim onları bir. SESLERİNİ DUYALIM.

Mehmet Bekaroğlu, hepsinin nasıl yara bere içinde olduklarını, nasıl yalnız bakımsız tecrit edilmiş, tam korkulduğu gibi, korktukları gibi olduğunu, Allah razı olsun, gidip görüp, aktardı.

Sonra? Sonra: Tıssss.

Ölüm oruçları peki? Hâlâ devam ettiğini bildiğimiz ölüm oruçları. Açlık grevleri. Yara bere içinde: üstüne hortumla tazyikli su sıkılmış, gaz tutulmuş, itilmiş kakılmış, yaralanmış, ağır hafif yaralanmış o mahkûmlar, siyasi mahkûmlar, afiş asmaktan içeri tıkılmış gencecik çocuklar, pankart açmaktan, dergi basmaktan içerdeki o çocuklar...

Onlardan haber var mı?

Ölüm oruçlarından, açlık grevlerinden?

Birlikte 'yaşama alanları' (var ise tabii böyle alanlar) tamamlanmadan, ısı tesisatı kurulmadan, altyapı, üstyapı çalışmaları bitmeden F tipi adıyla maruf hücrelere tıkılmış o çocuklardan peki, bir daha haber alacak mıyız? Yüzlerini görecek miyiz? Dünyada eşi benzeri olmayan F tipi tabir edilen, ancak Amerika'da idamına karar verilenlerin son günlerini geçirdikleri tecrit hücrelerini andıran bu insanlık dışı 'modeldeki' ısrarımızı, sürdürecek miyiz?

Operasyon öncesi Hikmet Sami Türk'ün F tiplerinin gözden geçirileceğine/bazı değişikliklere gidileceğine dair sözünü; Ağır Şefkat Operasyonu'nun ardından unutması, unutturması, söz konusu etmemesi peki, demokratik devlet anlayışı ile bağdaşıyor mu?

Verilmiş böyle bir söz varken, ondan dönülmesi; operasyonun o yakıcı operasyonun akabinde de "Karıştırmayın şimdi bunları. Temiz temiz yaptık operasyonumuzu, yaktık çenelerini," tavrına girilmesi hukukla, demokrasiyle, insan haklarıyla, hükümet olmakla, seçilmiş olmakla bağdaşmakta mıdır? 'Normal' midir? Olacak 'iş' midir?

Demokrasilerde HERKESİN sesi duyulur.

Herkesin, bir diyeceği vardır. Olabilir. Diyeceğini ifade etme özgürlüğü vardır. Demokrasilerde beyler, maalesef, öyledir.

Sesleri kapatabilirsin, yakabilirsin, örtebilirsin, kısabilirsin sesleri. Antidemokratik yöntemlerle, bu mümkündür. Ama bakarsın, o kestiğin, kıstığın, yok saydığın sesler; 80 yıl sonra, 90 yıl sonra dahi duyuluyorlar.

Hiç ummadığın yerlerden. Hiç ummadığın zamanlarda yükselir sesler. Sesi duyulmayanların sesi, bir yerlerden çıkıverir.

Artık ne kadar tepinsen, susturamazsın.

Mazlumun ahı. Sesini kıstığının sesi. Hiç beklemediğin yerlerden çıkar. Aheste aheste. Hem de.

TÜRKAN ŞORAY'I SEVMEK

Geçenlerde sevgili bir arkadaşımın evindeyim. Sevgili arkadaşımın yapması gereken işleri var. Sevgili arkadaşımız da bizimle tabii. O zaten kıvrım kıvrım kıvranıyor. Eve dönmesi şart! Habire onu bekleyen okumaları, yazmaları var.

Benim de öyle. İnanmayacaksınız ama, benim de koşarak eve dönmem ve işimin başına çökmem gerekiyor.

Oysa her zaman olduğu gibi coşkuyla konuşmuş; içimizi birbirimizin o güvenli, o tanıdık, o yeşil topraklarına dökmüş ve birbirimize, birbirimizle konuşup dökülüp saçılmaya, sonra parçaları toplayıp küçük birer yelek yapmaya, o yelekleri giyip giyip birbirimize göstermelere DOYAMAMIŞIZ.

Bir yandan, arkadaşımın alabildiğine dağınık ama o denli de

huzur, rahatlık ve insana kimseyi rahatsız etmiyorum hissi veren salonunda, televizyon açık. Bize olanca hımbıllığıyla gündüz kuşağının, refakat ediyor.

Derken...

Derken, televizyonda "Dünyanın En Güzel Kadını" oynamaya başlıyor. Bakmalara (seyretmekten ziyade) doyamadığımız Türkan Şoray klasiklerinden biri. Hani akordeoncu kız arkadaşının müziği eşliğinde (kim akıl etmiş allasen akerdeoncu kız arkadaşı?), dar siyahlar içinde geniş ve güzel kalçalarını sağa sola sallayarak dans edip, o müthiş "Tamba tumba/Esmer bomba" şarkısını mütemadiyen söylediği film.

Hani çok zengin işadamı Murat Soydan'a âşık olduğu, gururundan kendini pat diye denize atıp hem veremlibronşit, hem de viskikolik olduğu film.

Hani bir piyanistin habire çaldığı, "Dünyanın en güzel kadınısın sen" parçasını, kendine hitaben dinleyicilerinin huzurunda söylediği film.

Birden çakılıp kalıyoruz. Tabii, çenemiz de boş durmuyor. Onun güzelliği, şahaneliği, bir taneliği üzerine konuşuyoruz da konuşuyoruz.

En az altı-yedi kez izlemiş olduğumuz bu Türkan Şoray filmini, bir kez daha hiç olmazsa yarım saat, birlikte üstelik; kalbimiz ona karşı duyduğumuz sevgiden çatlayarak – izliyoruz.

Onun büyüsü bu! Başka hangi artist, yılan gözlü kem sözlü kimilerinin "deli saçması" diye niteleyebileceği filmleriyle, insanı ekranın karşısına böylesine kayıtsız şartsız bir sevgi seliyle, mıhlar?

Yalnız O! Yalnız Türkan Şoray.

Türkan Şoray 13-14 yaşında ortaokuldan çekilip alınıp setlere sokulmuş ve bir sinema yaratığı olarak, sırf o tuhaf dünyada büyütülmüş, hakiki bir "Truman Şov" olayıdır.

Sinema artı Rüçhan Adlı'nın kendisi için inşa ettiği, içine hayatın evet acımasızlığıyla, hesapçılığıyla, inciticiliğiyle; ama aşklarıyla, sürprizleriyle, dersleriyle girmesine asla izin vermediği... Dünya yüzünde olamayacak bir korunmuşlukla, hayatı filmlerde yaşayarak tadarak büyüyen... Evet, büyümeyebilirdi, hep büyüyen... Olgunlaşan, akıllanan, düşünen, duyan.

O özel, o güzel üstü güzel, o biricik, nadide, sevmekten hiç bıkmayacağımız, hiç pişmanlık duymayacağımız yaratık.

Bizleri hiç mahçup etmedi Türkan Şoray.

Bizleri bu ahir zamanlarda hiç mahçup etmemek, onu sevdiğimize, ona bağlandığımıza bir an olsun pişman etmemek, bizi düş kırıklığına uğratmamak için işte, kendi hayatını, kendini yani toptan İPTAL ETTİ.

Dünyada eşi benzeri olmayan bir "proje" Türkan Şoray. Dünyada eşi benzeri olmayan bir kadın, bir insan.

Ben insan Türkan Şoray'la da tanıştım. Yakınlaştım.

Fanatik bir hayranı olarak, yaptığı en ufak harekette (yanlış bir dizi, kötü bir yarışmada jüri üyeliği) kalbi canhıraşça kırılıp onu evet ölçüsüzce eleştirmiş, müptezel bir seveni olarak, ondan özürler diledim.

Beni affetmesini! Aşırı hayranlığımın taşkınlığına vermesini! Anlamasını! Evet, en çok bunu.

Beni anladı, dinledi, sevdi, dahası olduğum gibi kabul etti Türkan Şoray.

Ömrümde gördüğüm en zarif, en ince, en kibar, en başkalarını incitmekten korkan insandı.

Hayatın kendisine bahşettiği o sonsuz güçten: dünyanın gelmiş geçmiş en güzel kadınlarından biri olmaktan, bütün bir ülkenin mutlak sevgilisi olmaktan, saygın, hürmet edilen, tapılan kadın olmaktan çıkardığı ders Türkan Şoray'ın; alabildiğine ince olmaktı.

Gücünden korkan, gücünü kullanmaktan imtina eden bir tanrıça gibi...

Yüzüne bakın: Alabildiğine büyük gözlerine, kocaman kirpiklerine, minicik burnuna, güzelim ağzına. Türkan Şoray'ın oranları bebek oranları. Walt Disney kahramanlarının oranları.

Gerçeküstü bir yanı var güzelliğinin. Bu kadarı olmaz! dedirten bir yanı. Üstelik dişiliği de, cabası. Çok kadın bir kadın o. Çok hakiki. Çok kendiliğinden.

Onu, çocukluğumdan başlayarak, onu her daim, onu sadakatle; ama kaçınılmaz gelgitlerim, iniş çıkışlarımla sevdim.

"Refakatçi"de onu kahramanlarımdan biri yaparken acımasızdım belki. Sevginin ölçüsüzlüğüyle, kalbi kırık bir hayranın; ama o kadar da gerçeklikten kopuk değil, gözüyle...

Yazmaya başlayınca üstüne, duramıyorum.

Benim Türkan Şoray sagam sonsuza dek sürecek.

Bana her Türkan Şoray'ı andığımda, her defasında MFÖ eşlik edecek:

Arayıp sormasam da
Unuttum seni sanma
Dünya bir yana
SEN bir yana.

OFİS BUHRANLARI

Geçenlerde The Guardian'ın ilavesinde bir kadın yazarın bir makalesini okudum. (Evet, ben latan bir The Guardian okuruyum.) Yedi sene boyunca dile kolay tam yedi sene boyunca gidip geldiği bir ofisteki hayatından, yani hayatsızlığından bahsediyor makalede. "Tamam," yazıyor "part-time'cıydım; ama yedi yıl boyunca bir Allah'ın kulu yüzüme bakıp ismin nedir demedi. Selam olsun, vermedi. Bilgisayarlarına, telefonlarına, cep telefonlarına gömülmüş, öyle her türlü insani ilişkiye kapalı, yaşıyorlardı. İki-üç kez: 'Merhaba! Nasılsın?'a filan yeltendim. Yüzüme bok gibi baktılar. 'Aklını mı kaçırdın' dercesine."

"Ofistekilerden birine bir gün dışarda rastladım. Selam vereyim mi vermeyeyim mi, yine aynı muameleyi görür müyüm tedirginliği içindeydim ki, yanıma gelip konuşmaya başladı. Çok canlı, tatlı ve sosyaldi. Ertesi gün işte ona rastlayınca gülümseyip selam verdim. Yüzüme dehşet içinde baktı. Bizimki bir one night stand'di canım, anlamadın mı dercesine: Dehşet içinde."

Neyse kadın o ofise gidip gelirken ruhunun ne biçim mustarip olduğunu görüp basmış istifayı. Şimdi kendi işyerini açmış. En azından insanların birbirine selam vereceği bir 'iş' ortamı kuracağım diyor. Şöyle en azından bir "Merhaba!" desinler.

Ben en son bir işyerine gidip gelerek 93 başlarında çalıştım. Allahım o ne yaman eziyetti! Şimdi bu 'ofis buhranları' yazısını yazarken de, bir yandan suçluluk içinde kıvranıyorum. Öyle ya, belki çoğunuz, ofis buhranları içinde, tam içinde, ya da öncesinde, sonrasında okuyor alacaksınız bu yazıyı. Yangına körükle gitmeyelim.

Ama sizler,

1) Gençsiniz. Güzelsiniz.

Benim zaten emeklilik yaşım geldi. Pandispanya pişirip satamadığım için, köşeciliğe başladım. Yani benim ofis hayatımın olmamasını mazur görün. Ama arada bir işim düşüyor, plazalara düşüyorum.

Allahım! O ne serin ortam. O asansörler filan: Öldürücü. Şöyle herkes birbirini asla tanımama iddiası içinde. Git gel, git gel: Ömür biter iş bitmez; en azından insan işyerindeki insanları tanımak ister, tanımamazlıktan gelmek ağır bir efor.

Herkes çok serin, çok haşin. Bi de acayip meşgul herkes. Ben bu plazalarda habire Hakkı Bey'in odasını ararım. Özellikle plazalardan birinde nasıl labirent bir noktadaydı Hakkı Bey'in odası.

Çaresiz bir ördek gibi savruluyorum. Belli işte bilmiyorum yerini. Hayır kardeşim, bir kişi kaldırıp kafayı yardım etmez.

Sanırsın uzaydaki kara deliklerin sırrını çözmek üzereler.

Böyle aşırı serin, mesafeli rabıtalar. Ama asansörler, özellikle öldürücü.

Tabii işyerlerinin hepsi buzhane kıvamındadır; insana basar, mahveder, törpüler diye bir şey yok. Belki bu plazalar benim öz işyerlerim olmadıkları için, bu ağır yabancılık durumundan basıyorlar bana. Aslında galiba iş ortamlarının büyük boy olanları özellikle öldürücü oluyor. Birkaç işyerimde çok eğlendiğim de oldu. Bir tanesinde ortaokulda eğlendiğim kadar eğlenmiştim mesela. (Ben anormal bir çocuktum: İlkokulda da, ortaokulda da, lisede de eğlendim. Utanç içindeyim.) O 'işyerinde' kadro şahaneydi. Öğle yemeğine çıkıyorduk diyelim. Saat 12'de koşa koşa Mecidiyeköy'deki 'iş' yerinden çıkıp Sultanahmet'e yemeğe gidiyorduk. 3-3.30 sularında dönüyorduk. Tabii orası da bir zaman sonra aşırı eğlenceden bastı. Ama işyeri dediğinde buzhane gibi olacak diye bir kural yok.

Onun bunun aşk acısını, çocuğunun altına kaçırmasını, en yakın arkadaşının entrikalarını filan gün boyu dinlemek de ayrı bir ofis buhranı kategorisidir ki, buna halk arasında 'free therapy' (beleş terapi) denir. Öyle bir 'ofiste samimiyet buhranları' gününün sonunda kendini elalemin psikolojik çöplüğü gibi hissedersin ki, yooo samimiyetin bu kadarı da genci karartır.

İdeal ofis hayatı, gülüp eğlenebildiğin, şakalaşabildiğin, mümkün olduğunca az çalışmayı şiar edinmiş kalender insanların bir arada, patrona besledikleri husumet duygularından hiçbir zaman taviz vermeden, cıvıklaşıp samimiyet sınırlarını asla ihlal etmeksizin, birbirlerine çay ve poğaça ikram ederek, kırmızı çorap giymeksizin yarattıkları ortama denir ki... Ay ben ne anlayayım 'ideal ofis'ten. En iyi ofis, hiç gidilmeyendir.

FÜSUN ONUR'DA ÇAY SAATİ

Biz lise ikideydik galiba. Herhalde. Nazan'la gittik. Daha önce Nazan'la bir yere gitmişliğimiz yoktu. Öyle en yakın, en yakın da değildik. Yakındık; ama daha yeni başlayan yakınlıklardan birinde. Yakınlığın yamacında... Ben onun odasına gidip portakal isterdim. Yatakhanede.

Onun hep portakalı olurdu. Ve o hep odasında olurdu. Derslerini 'yapıyor' olurdu.

Benim hep portakalım bitmiş olurdu. Hep koridorlarda olurdum. Benim hiç dersim olmazdı.

Biyolojiden, fizikten, matematikten anlamadığıma karar vermiştim. Onun için de okuldan sonra işim olmuyordu. Koridorlarda filan dolaşıyordum. Bizim yatakhanenin kocaman güzel bir koridoru vardı. Sağlı sollu odaların açıldığı.

Patates çuvalı gibi mavi bir sırt çantam vardı. Pazarları, akşamüstü tabir edilen tuhaf vakitlerde, çantamı elma ve portakalla doldururdum. Beş kilo elma, beş kilo portakal.

Elimde, annemin pişirdiği koca bir cam kapta barbunya pilaki ya da onun özel çikolatalı fındıklı mandalinalı şekilsiz ama dünyanın en lezzetli pastası olurdu. Ya da bir kilo ayıklanmış karides. Üstünde zeytinyağı gezdirilmiş. Bunlarla dönerdim yatakhaneye.

Pazartesi gecesi her şey bitmiş olurdu. Nazan'ın kapısına dayanırdım. Bir portakal isterdim. Bir ya da iki portakal, verirdi. Budur hikâyemizin başlangıç noktası.

Sonra bir gün kendimizi Üsküdar'da bulduk. Dolmuşa bineceğiz. Nazan'ın annesinin bir sınıf arkadaşını ziyaret etmeye gideceğiz. Nazan'ın annesinin bütün sınıf arkadaşlarını ziyaret ediyor değildik hani. Ya da sırayla.

Hayır. Nasıl oldu. Neden filan, bilmiyorum. Biz ikimiz Nazan'ın annesinin liseden sınıf arkadaşının evine çaya davetliydik. Ömrümüzün en güzel çayı.

Bunu daha bilmiyorduk. Gidince, öyle oldu. Nazan'ın annesinin liseden sınıf arkadaşının adı Füsun Onur'du. Ablasıyla birlikte denize açılan tahta bir evde yaşıyordu.

Bizimle mırıl mırıl konuştular. Biz onlarla mırıl mırıl konuştuk. Eski işleri koridorda parçalara ayrılmış duruyordu. Onları gösterdi biraz. Biraz işlerinden bahsetti.

Her şey uçuşuyordu. Bütün konuşmalar.

Herhalde bizim gördüğümüz hayatta, ilk kavramsal işlerdi. Büyülenmiştik. Büyü-lenmiştik.

Füsun'dan, ablasından, Füsun'un işlerinden.

Genç olabilirdik, salakçana olabilirdik; ama işte hakiki bir sanatçı ve onun hakiki işleriyle karşılaşınca, insanın içindeki teller titriyor.

İnsanın içini güzel bir müzik kaplıyor.

Füsun çok güzeldi. Ablası çok güzeldi. Çay çok güzeldi. Her şey çok güzeldi. Oyuncak bebekler için küçücük porselen çay takımları olur ya. Çayları öyle oyuncak bir takımdan içmişiz gibi geldi sonraları hep bana.

Yok galiba çayları normal fincanlardan içtik. Galiba orda bir bebek çay takımı duruyordu. O gün her şey sihirli olduğu için, sonradan öyle gelmiş olabilir bana.

Her şey efsunluydu. Her şey füsunluydu.

Efsunlanmıştık. Büyülenmiştik. Sihirlenmiştik. Öylesine mırıl mırıl bir mutluluk içindeydik. Saatlerce kaldık o evde. Çıktığımızda kendimizde değildik. Öylesine gerçekdışı bir saadetin kucağındaydık ki, yürüdük yürüdük.

Çok yürüdük. Mutluluk içinde. Öyle, hayaller içinde. Büyülenmiş iki yaratık olarak.

Sonra hep Nazan'la o günü hayatımızın en mutlu, en efsunlu günlerinden biri olarak hatırladık. Hep Füsun'u ve ablasını tekrar ziyaret etmek istedik. Mutluluktan nasıl kafayı bulmuş olduğumuzdan bahsettik.

Bu tanışmanın ardından Taksim'deki Belediye'nin Sergi Salonu'nda Füsun'un bir işine girdim. 'İş' öyleydi: Mavi muşambadan bir kocaman dünya, çadır, yapmıştı, onun içine giriyordunuz. Denize dalar gibi.

Füsun Onur'un daha sonraki işlerini görmek de, bende hep aynı büyülenme hissini yarattı. O ilk karşılaşmadaki efsunlanma, hiç bırakmadı beni. İyi ki de bırakmadı.

Hakiki sanatçılara has bir büyü hali, bu. Hakiki sanatçı, işiyle, personasıyla, sizi güzelim avcuna alıp bir güzellik uykusuna yatırıveriyor. Hiç uyanmak istemediğiniz bir güzellenme uykusu. İçiniz yıkanıyor. Hafifleyip uçuculaşıyorsunuz.

Hakiki sanatın böyle bir şeyi var, işte. Sallıyor sizi. Güzelliğe doğru. Uhreviliğe. Bu dünyadan uzaklara. Uçucu dünyalara. Ve asıl hakiki dünyalara. Sallandıkça uyuşuyorsunuz. Asıl gözleriniz, o zaman açılıyor. Görüyorsunuz. İnanılmazdı. İnanılmaz.

UZUN MİSAFİR

"Onlar alay etsin bakalım bizimle," diyorum. "Bu yaz İstanbul'da patlarlarken, biz Milano'daki evin terasında pina colada'larımızı yudumluyor olacağız."

"Geçen kış da Tanca'daki eve takmıştın kafayı," diyor Elçin. "Bu ZENGİN evlerine kapağı atıp 3-4 roman attırmak: Derdin bu."

"Evet," diyorum. "Kendi evimde ne okumam, ne yazmam, ne de yaşamam mümkün olduğuna göre. Bir adet ÇOK ZENGİN'in evine iltica etmek istiyorum. Orda gizlenmek."

Geçen sene Muammer, Dünyanın En Zengin Adamı'nın şehrimize uğrayacağını müjdeledi. Adam yarı İspanyol, yarı bir şeydi. Bu çok zenginler asla sek olamazlar biliyorsunuz. Mutlaka yarı bir şey, yarı bir şey olurlar. O da öyleydi. Ben cazibeleriyle düşman çatlatan arkadaşlarıma yalvardım. Adamı tavlasınlar diye. Arkadaşlarımdan biri, adamı tavlayacaktı. Adam tabii ki Tanca'daki müthiş eve çağıracaktı arkadaşımı. Yazlık ya da kışlık, yani kışın yazlık, yazın kışlık: Neyse ne! Ama sürekli kalınmayan, arada bir büyük gruplarla uğranılan eve. Ben de arkadaşımın peşine takılacaktım. Tanca'daki eve kapağı atacaktım.

Sonra?

Sonra ne mi olacaktı? Arkadaşımla Dünyanın En Zengin Adamı ya birlikte, ya ayrı ayrı evden ayrılacaklardı. Ben geride bir valiz gibi unutulacaktım. Evde bir sürü hizmetkâr; hiç kapatılmayan bir ev işte, yıl boyunca uğranılan, o işleyen evde öylece unutulmuş, birkaç yıl geçirecektim. Dünyanın En Zengin Adamı döndüğünde, beni asla hatırlamayacaktı. Havuzun kenarında yanlışlıkla karşılaşırsak beni yeni gruptan birinin arkadaşının arkadaşı, ya da birinin çocuğunun Ukraynalı yüzme hocası, ya da en güzeli HİÇBİR ŞEY sanacaktı. Ben onun için bir şey olmayacaktım. Orda duran şezlonglar gibi. Kaydedilmeye değmeyen bir şey. Yıllar geçip de bana rastlamaya devam edince, ara ara "Kim bu ya?" gibi olacaktı. "Epey zamandır burda değil mi?" Ama tam bu düşünce mantar gibi kafasının ormanlarında belirdiği anda biri onu havuza, içkiye, uyuşturucuya, bir şeye çağıracaktı. Beni yine süratle unutacak, benim 'unutulmuş valiz' statüm aynen korunacaktı.

Hiçbir zaman esas misafirliğe soyunmayacaktım. Bir bukalemun gibi, çevreyle aynı rengi alarak, kimsenin dikkatini çekmeden orda yaşamaya devam edecektim. Esas misafir olursanız, sevgili arkadaşımın tabiriyle 'sohbet sektörünün' emrinde olmanız gerekir. Konuşmanız, eğlendirmeniz; bırakın bu külfetli berbat işleri 'varolmanız' gerekir. Ev sahibi için, diğerleri için varolmanız. Huysuz, sinirli ve nadan da takılsanız, işte bir karaktersiniz: Huysuz, sinirli ve nadan bir karakter. Ne bezdirici tüm bunlar. Bir 'karakter' olmak ne çekilmez, banal bir yük.

Oysa kimin ne zaman bıraktığı hatırlanmayan, hatırlanmaya dahi tenezzül edilmeyen biri olmayı, yani 'hiçbir şey' olmayı başarırsanız, kendi kendinizinsiniz. Kimse için bir şey olmanız gerekmiyor. En başta kendiniz için de hiçbir şey olmanız gerekmiyor. Harikulade güzel.

Havuzun kenarında ZENGİN ÇOCUKLARI'nın unuttukları walkman'lerden onların kasetlerini dinliyorsunuz.

Bir çocuk İggy Pop'un,

I'm bored
Chairman of the bored

şarkısını dinliyormuş mesela. Walkman'ini unutmuş gitmiş. Şimdi siz dinliyorsunuz onun kasetini. Kadınların unuttuğu Jackie Collins'leri okuyorsunuz. Erkeklerin unuttuğu Wilbur Smith'leri. Unuttukları habire, güneş sütlerinden sürünüyorsunuz. Küçük bir kızın zürafa desenli havlusu da artık sizin. Havuz kenarında unutulanlarla yaşıyorsunuz. Sürekli yiyecek ve içecek servisi var nasılsa. Hizmetçiler de bilmiyor kim olduğunuzu. Yeni işe başlayan bir kız, onlardan biri olduğunuzu düşünüyor bir müddet. Sonra o da unutuyor sizi. Orda takılan birisiniz işte. Ona ne?

İlk vardığınızda verilen bahçeye kapısı olan küçük odaya sahip çıkmışsınız. Her gün havlularınızı, üç günde bir de çarşaflarınızı değiştiriyorlar. "Çarşaflarımı ayda bir değiştirseler de olur," diye düşündüğünüz oluyor. Ama bunu dillendirip dikkat çekecek kadar aptal değilsiniz. Günün büyük kısmını odanızda geçiriyorsunuz zaten. Arada bir parti verdiklerinde filan, geceleri çıkıp onları gözetliyorsunuz. Zaten tek yaptığınız bu. Gözetlemek. Bir de yazıyorsunuz galiba. Ya da yazmıyorsunuz. Bu konudaki kararı almak için, birkaç yıla daha ihtiyacınız var.

KAPANDI

Bu şehirde devamlılık yok. Bu ülkede süreklilik yok.

Çok kayıyor. Yer. Her şey. Devamlı açılıp kapanıyor. Taşınıyor. Gidiyor geliyor. Gidiyor gelmiyor. 'Beşiktaş'taki Muhallebici' müdavimi olduğum bir yerdi. Zira, hiç müdavimi olunmayacak bir yerdi. Kocaman. İçinde mermer havuzşelalesi bile vardı. Garsonlar yaşlı, şişman ve nadandı.

Beni müesseselerine istemediler. İstemez gibiydiler. 'Gelip burda yesen ne olur, yemesen ne olur. Umurumuzda değilsin,' durumları. Hayatlarından bezmiş; hayatları garsonluk olan adamlar. Niye umurlarında olayım ki? Ben garsonun ilgisini, serinini, tavırlısını, pop olanını istemem. Garson dediğin, garson dediğin aynı Beşiktaş'taki Muhallebici'dekiler gibi olmalı. Olmalıydı.

Önce kabalıklarına bozulmadım değil. Ama eforla sağlanmış bir kabalık değildi onlarınki. Zahmetsiz kabalık, amaçsız nadanlık: Öyle doğallıkla. Canlarından bezmiş dört-beş garson. Benimle mi uğraşacaklar?

Bu natürel kabalık, müessesenin ferah geniş olması, bu aldırışsızlık, iyi geldi bana; iyi geliyordu.

Dünyanın en iyi kalpli, en sıcak, sevecen garsonlarının çalıştığı küçük, sıcak, estetik muhallebicimi yavaş yavaş terk ettim. Önceleri bayağı sinir olduğum, bu muhallebici irisi için.

İçeri müşteri girince, yıllardır çeşme başında bekledikleri yavukluları askerden dönmüş gibi gözleri parlayan o aşırı müşteriperver garsonların harikulade temiz müessesesinin bana 'bastığına', 'daha da bastığına,' 'daha da daha da bastığına' hükmettikçe, devasa muhallebiciyi giderek yeğler oldum.

Sonunda baktım ki, bir zamanlar ara sıra, o da kendi küçük şirin temiz muhallebicimin ne kadar üstün ve özel olduğunu, kendi kendime pekiştirmek için uğradığım o heyüla muhallebiciyi, aslında daha çok seviyorum. (Abi, aynı aşk hikâyesi oldu.)

Bu arada tabii ilişkiler de farklı bir renk almış. İri muhallebicinin yaşlı, şişman ve nadan garsonları beni bir nevi (onların nevisi gibi) benimsemişler. Hayır! Asla diğer müessesedeki gibi tezahürat yok, gözleri parlatmalar, dişleri göstermeler yok; ama işte o oturmuş bezginliklerinin içinde 'Sen de buranın gidişatının bir gidişatısın işte' tavırları. Oturmuş tavırları. O hop oturup hop kalkmaların olmaması çekti zaten beni kendine. Oturmuşluk! Oturmuşluk! Daha ne isterim?

Ya baktım artık hayatımın yolunda gittiğine dair bir gösterge Beşiktaş'taki Muhallebici. Benim bi hayatım var: Çoluk çocuk, iş güç. Bi de Beşiktaş'taki Muhallebici, var. Aynı Yıldız gibi. (Yıldız Hanım ayrı bir yazı mevzuudur.) Bunlar benim yerleşikliğimin, oturmuşluğumun, oturtmuşluğumun, aidiyetimin direkleri. 'Direkleri' çok direk direk oldu. İşte bir şeyleri.

Bakıyorum Beşiktaş'taki Muhallebici'deyim. Çayımı içip gazetemi içiyorum.

"Bi tane daha?" diyor şişman, nadan, bezgin.

"Evet, lütfen" diyorum.

İşte hayat böyle bir şey. Böyle serin bir devamlılık hayat. Benim gibi devamsızlıktan habire çakmış olanlar için, geç bir buldumcuk sevinciyle, kıvancıyla sahiplenilen.

Hayatımın en mühim başarı hikâyesiydi Beşiktaş'taki Muhallebici. Başarma hikâyesiydi. Ben o azmi, sebatı, inadı, sabrı hor görenlerdenim. Horrr horrr gör bakalım. Tabii ne kadar hor görüyorsan, o kadar düşkünlük de kesp edersin için için.

Ay kesiyorum. Laleciğimin dediği gibi (yazdığı gibi) iyice sokak feylezofluğuna vurur oldum 'işi'. Beni cezalandıracaklar. "Otur ulan üç yıl felsefe oku." Tabii felsefe okumuş olsan ciddi ciddi, böyle carala carala yazmazsın. Bi ağırlık, bi süzgeç durumları.

Dün yine iniyorum böyle Beşiktaş'taki Muhallebici'ye. Üstelik Beşiktaş'taki Muhallebici üstüne düşünerek, yukarda nakşettiğimiz tarzda düşünceler yaparak iniyorum. Senin işin gücün habire Beşiktaş'taki Muhallebici düşünceleri mi yapmaktır, hayatta başka derdin yok mudur diyecek nemrutlukta olanlarınızı dostça uyarıyorum. Hayır, habire Beşiktaş'taki Muhallebici'yi düşünmüyorum. Ama dün işte oranın hayatımdaki yerini ve önemini ince ince düşüneceğim tuttu. Romanlarda böyle olur, hakiki hayatta da. O koca ocağını kapıdan çıkarmaya çalışıyorlar. İçerde nadan garsonların en genci. Bir karış sakal. 'Tahliye' dedi.

'Tahliye.'

Ben şimdi hayatımı tasfiye mi etmeliyim iki harfle oynayarak. Mesaj bu mu?

NİŞANTAŞI ÇOCUKLARI

Geçenlerde aklıma hayatımın ennn komik otobüs yolculuğu geldi. Dolayısıyla da 'Nişantaşı Boys'. Şimdi başlıkta 'oğlan' kelimesini istemedim. 'Türkçede İkirciklenmeler ve İzdüşümleri' makalemde bu kelimenin yarattığı rahatsızlıkları Lacan'ın Macan'ın gözünün yaşına bakmadan açıklamışımdır. (Varsa yani böyle bir makalem.)

Bu güruhun tam karşılığı Nişantaşı Boys. Ama başlıkta İngilizce kelime istemiyorum. Serde aşırı Türk milliyetçiliği var.

Ramazan ayıydı. (On bir ayın sultanı: Türkanşş.) Hem de yazdı. Otobüslerde öldür Allah yer yok. Annem müthiş torpillerle bize iki yer buldu. Topkapı'dan bineceğiz. 'Öz Hakiki En Belalı Tur' gibi bir şirket. Bindik. Tam önümüzde iki adet Nişantaşı Çocuğu oturuyor. Bu Nişantaşı Çocukları yaşsız olurlar. Hep öyle genç/yeniyetme kıvamlarını muhafaza ederler. Ebediyen rafadan yumurta gibi. Ki genellikle, tasvir eyleyeceğim grup 40-45-50 yaşlarında olurlar. Ama hep BOYS, hep BOYS.

Önümüzde bunlar, sağ tarafta iki arka sıramızda iki şanlı Türk transseksüeli. Yani bilmiyorum, belki ameliyatsızdırlar, çoğu ameliyatsızmış, iki şanlı Türk travestisi de olabilirler yani.

Yıl hangi yıl biliyor musunuz? Şeyin patladığı yıl, Sezen Aksu'nun:

'Hadi bakalım kolay gelsin' şarkısının. Ben daha patlamayı kaydetmiş değilim. Patladı patlayacak şarkı demek ki, ama bizim Nişantaşı Oğlanları şarkıyı patlatmışlar:

Habire, ama habire:

"Yerimiz mi dar / Yenimiz mi dar/ Ne var, ne var, ne var" deyip gülmekten devrilerek atıyorlar kendilerini yerlere.

"Eline, beline, diline sahip ol" deyip böğüre böğüre gülüyorlar.

Sonra ikisi birden girişiyor şarkıya: 'HADİ BAKALIM KOLAY GELSİN...'

Aman nasıl şen, nasıl şakrak, nasıl matrak ve saçmalar. Yıllar yamaçlarına dahi uğramadan kaymış gitmiş; bunlar hep öyle 13-14-15 yaşlarında Nişantaşı-Teşvikiye-Konak Sineması-Dilberler'in Köşesi-Ömür-Tiffany-Hidromel halleriyle kalakalmışlar.

Biraların da müthiş bir katkısı var tabii. Habire kutu kutu bira devirmekteler.

Bu arada aylardan Ramazan ya, her bira kutusunu açarken, bunlar ÖHÖ HÖ HÖ ÖHÖ diye öksürme taklidi yaparak, milleti kandırma gayretleri içindeler. Kimse duymayacak yani kutu açma seslerini. O kadar matrak ki!

Kimseyi kandırdıkları filan yok. Gecenin ilerleyen saatlerinde gözleri kan çanağı. Ayakta duracak halleri kalmamış. Ve her mola verilişinde bunlar koşa koşa gidip 10-15 kutu bira kapıp, onları gizleye gizleye geri koşmaktalar. Ya da koşamamaktalar. O kadar kafayı bulmuşlar ki, şoförün nezaretindeki merdivenlere ayakları takılıyor, yuvarlanıyorlar filan felan. Sonra başlıyorlar bıraktıkları yerden:

Hadi bakalım kolay gelsin
Bir acayip zor yarış.

Şarkı da cuk oturmuş Allahım. Nişantaşı Boys hayat yarışına hiç girmemiş, hiç tenezzül etmemiş ebedi Peter Pan'lar Kulübü'dür zira. Tabii gün ağarınca, ki hiç uyumadılar: hep konuştular, güldüler, bira içtiler, bunlar transseksüellerle ahbap olacak, ahbaplığı ilerletecek, transseksüeller bunlara baksınlar diye Ege'nin muhtelif turistik spotlarında çektirdikleri fotoğraflarını uzatacaklar, bunlar ezeli ve ebedi yeniyetmeler ya, fotoğrafları geri vermeyiz diye tutturacaklar, bir itiş bir kakış –Allahım bir eğlence.

Nişantaşı Boys demek sonsuz bir eğlence hali demektir. Konuya, mecburen eğileceğiz.

KİM BU NİŞANTAŞI ÇOCUKLARI?

Bunlar (Nişantaşı Boys yani) iki Türk transseksüelinin (belki de travestiler) o kalenin, bu yıkıntının, şu ve bu turistik manzaranın önünde çekilmiş fotoğraflarına baktılar tek tek ya.

Şimdi de geri vermiyorlar.

"Versenize ayol fotoğraflarımızı."

"Yooo. Bizde kalsın. Hatıra olur. Hah hah hah, hoh hoh hoh."

Ben kafayı vurur, yol boyunca uyurum otobüslerde. Bu ikisiyle yaptığım yolculuk öylesine eğlenceliydi ki, tüm gece kulaklarım uzadı, büyüdü, gelişti: Çanak antenlere döndüler, onları dinleyeceğim diye.

Nişantaşı Çocukları, nevi şahsına münhasır bir kabile olup

zaman tünelinde çakılıp kalmış saçma ruhlardan oluşur. Hep öyle Nişantaşı-Teşvikiye-Harbiye üçgeninde doğar, okula gider; hiç büyümeden o sokakları ve oradaki lokalleri arşınlayarak yaşar giderler.

Bizimkiler de zaman tünelinde donmuş kalmış. İçlerinden birinin yetişkin bir oğlu, boşanmış olduğu karısıyla tabii ki sorunları var. Bodrum'da rastlamamaları gereken bir sürü insan var. Gidebilecekleri ve gidemeyecekleri barları, plajları konuşuyorlar, hesaplıyorlar uzun uzun. Hadi bakalım kolay gelsin!

Bu çocukların gece hayatı 11-12 yaşlarında başlar ve hiç bitmez; hiç bitmez. Yine bu yaşlarda 'çıkmaya' başlarlar kızlarla. Dilberler'in köşesinde buluşup Konak Sineması ya da As Sineması'na gitmeler. Bizim çocukluğumuzun o saçma diskotekleri (mahrumiyet zamanları) Regine, sonra açılan Tiffany, giderek düşen Hidromel.

Ben Nişantaşı Çocukları'nı uzaktan izledim. Hem Levent'te (dağın başında) oturduğumuz için, hem bohem annem yüzünden hakkıyla bir sınıfa iltihak edemediğim için, hem de şimdilerde Amerikan sinemasında mevzu olarak pek moda olan sinir, tuhaf, hep dışarda durmaya mahkûm çocuklar kabilesinden olduğum için. Valla hiç 'çıkamadım.' Konak Sineması'na ve Ömür adlı kafeteryaya gidemedim öyle kızlı erkekli gruplarla. Ama o muhitin mühim ilkokullarından birinde okuduğum için hayatlarını izledim. İzledim.

Nişantaşı Boys, büyüyünce de Nişantaşı civarında oturmaya devam eden, hep iyi giyinen, hiçbir işte dikiş tutturmayan ve tutturma arzusu da asla duymayan, 'iyi vakit geçirme' bağımlılarından oluşan çok İstanbullu bir gruptur. Bu grubun başarılı elemanları, memleketimizle birlikte çabucak kalkındılar. Boğaz'a, Ulus'a, Alkent'e taşındılar. Geride bir tortu gibi Nişantaşı Çocukları kaldı. Doğup büyüdükleri sokaklardan hiç ayrılmak istemeyen, oğlanlıktan hiç terfi etmek istemeyen ebedi genç adamlar.

Son yıllarda, bu otobüs yolculuğunda olduğu gibi, yaşlanmış hallerine, muhtelif yerlerde rastladım. Teşvikiye'deki bir dükkâna müzik setini tamire götürdüğümüzde. Ya da Teşvikiye'deki bir dükkândan cep telefonu aldığımızda.

Küçük dükkânlar açıp semtlerinde kalmış bi sürü Nişantaşı Çocuğu. Diyelim cep telefonunu aldığımız dükkâna iki üç kez gitmemiz icap ediyor o kâğıdı bırakıp bilmemneyi almamız için. Dükkânlarını açık bulmak bir mesele. Öğleden sonra 1.30'da açıp 3'te kapayabiliyorlar sıkılıp. Ertesi gün 5'e doğru açıp 7.30'da kapayabiliyorlar. Dükkânda oldukları sürece ya telefonda arkadaşlarıyla konuşuyorlar; ya da diğer işsiz güçsüz 40-50 yaşlarındaki Nişantaşı Oğlanları ziyaretlerine geldiği için geyik yapıyor oluyorlar. Onlarla iş yapmak imkânsız gibi bir şey. Onlar da bu konuda, belki de yalnızca bu konuda alabildiğine kararlılar. Hayat bir yarışsa, bir yarış olmakta diretecekse yani, kenarda durup kakara kikiri yaparak izlemekte acayip kararlılar aslında. Tüm o dağınıklık, tembellik ve disiplinsizliğin ortasında hiçbir şey olmamaya dair çelik gibi bir irade, gizli.

Sonra Fulyalar Nişantaşı Çocukları'ndan birinin açtığı ufak bir mantıcıya dadandılar. Mantıcı da öyle: Hangi gün, hangi saatte açık olacağını kestirmenin imkân ve ihtimali yok. Arada bir de, diyelim açık buldular. Girdiler içeri. İçerde müessese sahibi Nişantaşı Çocuğu, büyük bir grup arkadaşıyla oturmuş gülüp eğleniyor. Bir bozuluyor bunlar geldi diye. "Sanki salonuna zırt kapı damlamış istenmeyen misafirleriz," diyordu Fulya. "Aynen o havayı yaratıyor."

Hani gönül indirmiş ticaretle uğraşıyorlar. Ama bari KENDİ KURALLARIYLA.

Bir de semtte kalıp bir baltaya sap olan Nişantaşı Oğlanları vardır ki; bunlar hukuk, tıp ya da mimarlık gibi konularda profesör olup da, hayatın sonsuza dek kıyısında yer almayı beceren Çalışkan Oğlanlar grubundandır. O civarlardaki ilk, ortaokul ve liseden sonra, o civara biraz uzak sayılabilecek üniversiteyi bitirir ve bitirdikleri üniversiteye öğretim üyesi olarak girdikleri gibi, bir daha semtlerinden ve üniversitelerinden dışarı adımlarını dahi atmazlar. Ama onlar ayrı bir yazı konusudur.

Bizim hakiki Nişantaşı Boys, seyrelse de saçlarını hâlâ 70'lerdeki modelleriyle kestirir, hafif dar pantolonları tercih eder ve La Coste gibi artık tarihin derinliklerine gömülmüş tercihlerden taviz vermezler. Eğlenmeyi, eğlendirmeyi ve büyümemeyi daha kimse onlar kadar hakkıyla becerebilmiş de değildir.

ŞOFÖR TİPLERİ

Benim arabam yok. Ehliyetim yok. Ömrümde araba kullanmadım. Bende çok ciddi bir 'kötü araba kullanan kadın olma' korkusu var. Hani on yılda kavrama yapmayı öğrenemez, on beş yılda anca doğru dürüst park etmeyi becerir; (anneciğim, anneciğim) işte onlardan olacağım korkusu dondurdu beni. Direksiyona elimi sürmedim. Bu beni ne yapıyor? Taksi bağımlısı yapıyor. Bağımlılığın her nevisinden nefret ettiğim için, arada bir minibüs ve otobüse biniyorum. (Türünün son örneği olarak.) Ama bu cengâverce çabalamalarım bir yana, ömrümün hatırı sayılır bir kısmı, taksilerde, dolayısıyla da taksi şoförleriyle geçiyor.

Araba kullanmamamın bir ciddi nedeni de, aşırı işlevci olmam. Şimdi altımda bir ARAÇ olursa, ben bunu KULLANAYIM gibi olurum. Hani Türk şoförlerinin önlerini kaşır gibi, klaksona basma âdetleri var. Deli oluyorum! Direksiyonda olsam o elini penisinden, pardon klaksonundan kaldıramayan tiplere şöyle bir arabayla geçirmek gelir içimden. Bir gelir, iki gelir; üçüncüde bir de geçiririm. "Kes lan klaksonunu, senin mastürbasyonundan bize ne," diye. Bu nedenle silah da alamam mesela. Silahım olsa, 'bunu da kullanayım,' gibi olurum. Öyle aşırı işlevci bir eldeki araçları değerlendirelim kaygısı. (Hani poşetleri atamayan kadın modeli. 40'lardan kalma.)

Sinirlerim zayıf olduğu için kullanamıyorum işte araba. Bir de sanki beni rencide etmek için trafiğe açılmışlar, kötü kadın sürücülere, 'Bayanım, bayarım, 30 km.'yle gider, sağlar sollar trafiğin içine ederim, sinyal vermeden şerit değiştiririm, saparım, şaşkınım dalgınım, canım ne isterse yaparım' kadınlara inanılmaz bir KİN duyuyorum. Başlıyorum hakarete. Bu ultra maço tutum, gaza getiriyor tabii şoförleri, onlar da başlıyor hakarete. Öyle kadın şoför düşmanı düşmanı yol alıyoruz.

Bazı çok agresif taksiciler var. Bütün trafik, düşmanıymış gibi araba kullanan. Bir de çok nazlılar var. Oraya gidemez. Oradan inemez. Oraya sapamaz. Olamaz. Naz. Naz. O zaman yaptığım standart konuşma: "Beyefendi, şunu hatırlatmak isterim: Ben otostop yapmış değilim. Belli bir ücret karşılığı bu şehirde beni istediğim yere götürmek zorundasınız. Tabii bu stresli oluyorsa, size Bilecik'e yerleşmenizi öneririm," tarzı bir konuşma modeli var. Bir de Taksim'e tarifle giden, Beşiktaş'ı bilmeyen onlarca şoföre çattım. Çünkü onlar 'Avcılar'dan geliyorlar.' Ya da 'Karşı tarafın şoförü.' Ulan yapış o zaman semtine, bakkaldan evlere, evlerden PTT'ye 'Avcılar'ın Asli Şoförü' olarak meslek hayatını sürdür. Ama artık bu Taksim'i bilmeyen vs. şoförlere öyle alıştım ki, gayet anlayışla 'Sağ yapın, sola sapın' diye onları gideceğim yere kadar itekliyor, sonra da 'Bu yokuştan aşağı inip sağa döndünüz mü Karaköy: KA-RA-KÖY İstanbul'un bir başka semti, bir başka güzelliğiyle karşılaşacaksınız," diye sevecenlikle uğurluyorum.

Ama geçen gece bir şoförle karşılaştım ki... Ya hani Karadenizli taklidi yapıp durur bayat komedyenler. İnsan da "Kimse bu kadar koyu bir aksanla konuşmuyordur," gibi olur. Hayır, en berbat komedyenin en koyu taklidi gibi, cümle sonlarında "Daa" filan diyerek konuşuyor. Ve yemin ederim iki söyleyip üç gülüyor. Ritim bu. Adam hakiki bir neşe şelalesi. Ben Amerikalı kadın antropolog Jane Marplewood ayaklarında: "Karadenizli misiniz"i patlattım. "Rizeluyum daaa," dedi, beş kahkaha patlattı. Ben için için, yahu senin şu neşeli Laz genlerinden biraz ben alsaydım da, sen de benim şu sinir illeti Gürcü genlerimden biraz nasiplenseydin diye, genetik mühendislik hesaplamaları yapıyorum. Böyle koyu bir neşe! Adamı alıp 'Neşeli Karadeniz Uşağı'nın saf ve bozulmamış bir örneği olarak bir kavanoza kapamalı. Bir de Fatoş hani Karadenizli erkek-kadın bir çift bebek yapmıştı vakti zamanında. Pek sevimsizlerdi. Bu adamın bebeği yapılmalı oysa. Kızımla tam taksisinden ineceğiz: "Allah bozmasın, neşenize hayran kaldım," diye - yazdım. O da dönüp bana, "Ben de senin konuşmana hasta oldum," demez mi? Pek komik bulmaktaymış yani beni. Arabayı durdurup fırladık caddeye. Üç Karadeniz oyunu yapıp: "Hoy hoy hoy!" Neyse. Böyle folklorik ve sıcak bir karşılaşmaydı.

Geçenlerde rast geldiğim genç şoförse sıkı bir Leman okuru ve Cezmi Ersöz hayranı çıktı. "Tanırım ben onu," dedim. Çok havalı oldu. "Hani geçenlerde biri ona laf etti. Öğrenci evlerinde kalıyorsun dedi." "Murathan Mungan," dedim; "O lafı yanlış anlaşıldı. O da arkadaşım." Artık ne havalı bir düdük olarak yolculuğu sürdürdüğümü, tahayyüllerinize havale ediyorum.

TRAPEZ SIKINTISI

Trapezdekilerin, yani trapezcilerin bazıları, hem de kısa bir zaman içinde (yani trapezde geçirilmiş kısa bir zaman zarfında) çok korkulası bir ruh durumuna maruz kalırlar.

Ya da geçiş yaparlar diyelim.

TRAPEZ SIKINTISI.

TRAPEZ HEYECANI bitmiştir. Onlar, o heyecan kısmını çok çabuk, ya da az çabuk; ama sonuç olarak çabuk tüketmişlerdir.

Onlar artık hem trapezdedirler, zira trapezcidirler; hem de işin heyecan kısmını nerde düşürdüklerini bilmeden yitirmiş, bizatihi zıtlardan oluşan bir durumun içine hapsolunmuşlardır: Trapez sıkıntısı durumunun.

Zira hem trapezdedirler, yani heyecana namzet ve müptela oldukları için bulundukları bir yerdedirler, hem de artık heyecandan içlerinde eser kalmamış, içlerinde kala kala kala bir trapez sıkıntısı kalmıştır.

Onlar bu maceracı ve gözükara grubun, yani trapezcilerin, bahtsız bir alt grubudurlar. Zira trapezciler ağırlıklı olarak trapez heyecanını hiç yitirmeyenlerden, yani çıktıkları yerlerin hakkını sonuna kadar verenlerden oluşur. Bu tutarlı ve şanslı grup, trapeze her çıktıklarında -ağlı ya da ağsız fark etmez ve sanılanın aksine pek çok zamanda altlarında mis gibi ağları gep gerili olarak- aynı heyecanı, yani o meşhur deyişle İLK GÜNKÜ HEYECANI, yani pörsümemiş, esnememiş, çizilmemiş gıcır gıcır buzz gibi heyecanı, her daim her daim içlerinin en içinde DUYARLAR.

Allah'ın ne şanslı kullarıdırlar ki, trapezlerin üstündeki yerlerini her alıp ellerini pudra kutularına daldırıp, karşılarındaki hayali ya da gerçek diğer trapezciye gözlerini diktiklerinde; boğazları kurur, bacakları ve elleri iyiden iyiye titrer ve en en güzeli içlerini o tatlı ürperti kaplar.

İşte bir gösteri anı daha!

İşte, yine kendilerini trapezlerinden karşılarındaki o kısacık ve kocaman boşluğa salıverecekler ve hatta bir parende atıp ya da atmayıp dümdüz, karşı trapeze, hakiki ya da hayali biriyle yer değiştirip konacaklar.

İşte, kalpleri küt küt. İşte karşı tarafa vardıklarında her defasında ilk kez bunu başarmışçasına yüzleri ve yürekleri ışıyacak, onca heyecandan sonra ruhlarını yeniden kaplayan başarı duygusuna kendilerini bırakacaklar.

Çok heyecanlandılar. Çok heyecanlandılar ve şimdi başardıkları için, bir kez daha ama her defasında ilk kez başardıkları için, çoook mutlular. Onların heyecanını ve sonra bu heyecanın yerini alıveren başarmışlık duygusunu yaşamalarına, bir ömür yetmeyecek.

Her seferinde. Sil baştan.

Oysa trapez sıkıntısına esir düşmüş gruptan biri, bakın işte trapezdeki yerini aldı. Müziklerin en kreşendosu, en heyecan verici olanı, onun için zangırdatılıyor. Herkes korku ve heyecanlar içinde yerinde büzüldü. Kimileri gözlerini kapadı elleriyle, yapabilecek mi? Peki bu sefer; yapabilecek mi? Oysa trapezinin üstünde yapayalnız ve hiçbir şeyi kaydedemeyecek kadar bezgin, ellerini batırıyor pudra kutusuna.

Umurunda değil.

Gerçek şu ki: Umurunda değil.

Karşısındaki hayali ya da hakiki trapezci de umurunda değil, ağın durumu da.

Öylesine kanıksamış ki bu trapez işini. Sadece yorgun, bezgin; gösteriyi bitirmek istiyor. Bu iç daraltıcı gösteriyi bitirmek ve karavanına çekilmek! Tüm isteği bu.

Başka da bir şey isteyecek hali yok. Ne zaman trapezin tepesine çıksa, içini uykululukla sarılı ağır bir sıkıntı hali basıyor. Çok enerjisiz. Çok. İçi bir nevi pas tutmuş durumda. Ağzı da.

Ağzı da çok kuru.

Şimdi işte kendini boşluğa bırakacak ve bir parende atarak ya da atmayarak -hiç fark etmez, ne fark eder ki?- karşı taraftaki yerine konacak. Belki de konamayacak.

Belki çakılacak kafa üstü. Ve iyi onarmamışlar ağları. Ağlarda bir delik var. O delikten kayıp yere çakılacak belki de. Tepe üstü YERE çakılacak. Bir trapezcinin en olmak istemediği yere! Hayır hiçbir şey korkutmuyor onu. Daha fenası, hiçbir şey heyecanlandırmıyor.

Çok sıkılıyor. Öyle çok sıkılıyor ki, öyle çok sıkılmış ki, artık bunu dahi kaydetmiyor. Tek bildiği habire bu lanet gösteriye çıkmak zorunda olduğu. Zorunda olduğu ve tamamlayıp, ancak o zaman: tamamlayınca, ineceği.

Ama bunun hiçbir şey demediği. Ancak bir sonraki gösteriye kadar rahat olduğu. Sonra, gonklar gonklayınca yani, üstüne o komik mayoyu geçirip trapezin tepesindeki yerini almak zorunda olduğu. İki kolunu tepeye kaldırıp selam vereceği. Altındaki kalabalığın heyecandan kımıl kımıl olacağı.

Onun hiç ama hiçbir şey hissetmeyeceği. Ama sanki hissediyormuş, sanki heyecanlanıyormuş gibi yapmak zorunda kalacağı.

Çünkü bu da, işin bir parçası.

Ve çok sıkıntılı olduğu halde, çok sıkıldığı halde, lanet dengesinin hiç bozulmayacağı.

Lanet kafasını ağlardan düşüp kırmayacağı.

Zira ağlarda hiç ama hiç delik olmayacağı. Ağların ihtimamla ve habire onarılıyor olacağı. Bu gösterinin hiç ama hiç ama hiç bitmeyeceği. Ve ağzında ve ruhunda hep o pass tadının olacağı. Olacağı.

INCOMMUNICADO TOPRAKLARDA

Bazı günler, sabah uyandığımda, o gün yapmam gereken 4-5 telefon görüşmesi, gözümde büyüyor büyüyor.

O gün, o telefon görüşmelerinden ibaret oluyor.

Her biri, bu yaşlı ve yorgun at için –öyle hissediyorum o sabahlarda kendimi: bedbin ve bitmiş– aşılması çok güç, evet imkânsız değil ama, çok güç engellere dönüşüyor. Nasıl konuşacağım? Nasıl başlayacağım, bitireceğim; ifade edeceğim kendimi?

Basit konuşmalar her biri: Bir rica, bir sıkıştırma, bir hatırlatma, takip, tehir, iptal ya da açıklama konuşması. Çok basit. İvedilikle ve monoton bir kibarlıkla, tereyağından kıl çeker gibi 'gerçekleştirilebilecek' görüşmeler. Kolayca 'halledilebilecek.'

Böyle teselli ediyorum kendimi. Masanın başına telefonu ve

defterini alıp oturacaksın. En geç 20 dakika sonra kalktığında, bugün için bütün 'zaruri' görüşmelerini tiklemiş birinin rahatlığıyla...

Onları 'bitirip' kalktığında, gazeteni okuyabilecek, kahvaltını edebilecek, yatakları yapıp çiçeklerini sulayabileceksin.

Ve gün artık, kesintisiz devam edecek. Ruhuna bir kılçık takılı olmadan: Yumuşak ve kayganca. İstediğin gibi. Gün, kendi ritmine kavuşacak ve tıkır tıkır işleyecek. O konuşmaları hiç yapmamışsın GİBİ.

Ne güzel!

Yalan tabii. Avuntu. Bir kere, o konuşmaları yapabilmem için gereken her türlü donanımdan mahrumum, bugün. Neden -tam bilemiyorum. Ama yoksunum.

Çok ağır, çok zor geliyor o 4-5 hatta -demin azaltıp söylemiştim kendime- o 7-8 görüşme. Çok altından kalkılmaz geliyor.

Zira ben 'incommunicado' günlerimden birindeyim.

Komünikasyon taklitlerini yapmaya -zira gerçek bir iletişim, yüzde yüz bir anlama ve anlaşma hali, pek de mümkün değil bu topraklarda- muktedir değilim. Meramımı anlatabilmişim; meramımı dinlemişler, anlamışlar- dahası benim için taşıdığı vahameti kavrayıp olaya düzgün bir şekilde, vaktinde ve ehil bir tarzda eğilecekler, hatta hatta halledecekler GİBİ yapacak takatim yok. Bu iletişim sorunlu topraklarda, anlaşılmışım GİBİ yapacak gücüm...

Hayır. Bugün, bu belalı, bu sıkça rastlanan bu tarz günlerden bununcusunda, bugün, ben tamamiyle INCOMMUNICADO'yum. Evet: Kelimenin karşılığında dendiği gibi, başkalarıyla iletişim kurmama izin yok. Ve o izni vermeyen kendimim. Bizzat kendim. En içim. En en en benim.

Hakiki anlamda iletişimin, sözlerimin karşı kulaklara tam

ağırlıklarıyla (ya da hafiflikleriyle: önemli olan TAM kelimesi) varmasının imkânsızlığı, perişan ediyor beni. Günlerimi ve gecelerimi zehirliyor.

Kendi engellerim bir yana, tüm bu zorlukların üstesinden gelip derdimi anlattığımda, en iyi, en cömert ihtimalle yüzde yirmi beş dinlenecek yüzde on anlaşılacak ve yüzde beş harekete geçirebilecek olmam; en yüksek ihtimallerin böylesine düşük olması, mütemadiyen akıntıya kürek çekiyor olmam, çok çok umut kırıcı. Kalp kırıcı. Ruh daraltıcı.

Buraları, bugünlerde onun için bu denli bunaltıcı buluyorum.

Sevmiyorum, sevemiyorum. Bu. Günlerde. Tam.

Bu kadar anlamaya, dinlemeye, vazifelerini yerine getirmeye gönülsüz bir toplumun parçası olmam; öylesine kahrediyor ki beni...

Dinlememeyi, işine gelmeyeni mutlaka DUYMAMAYI, duymak zorunda kalmışsa da DUYMAZLIKTAN GELMEYİ şiar edinmiş bir toplumun parçası olmak...

Ağır bir yüzleşmeden kaçma hali. Kaçak güreşme hali üstüne karakterini inşa etmiş insanların arasında var olmaya, yaşamaya, İŞ GÖRMEYE çalışmak... O ağır 'incommunicado' günlerimde, zaruri görüşmeleri yaşam enerjimin düşüklüğü ve ruhumun mağaralığı nedeniyle, bir sonraki güne erteleyebiliyorum bazen.

Nadirdir, ama kendime bu cömertliği yaptığım zamanlar oluyor.

Aramda ciddi bir anlama/anlaşma sorunu bulunan insanlarla yapmam gereken 'iş' görüşmelerini ise bir ay sonrasına bile ertelediğim oluyor. Oluyor valla.

Neye yarar? Burda bu bir türlü –psikolojik kaytarmalar nedeniyle– aynı dili konuşamayan insanların topraklarındayız.

Habire komisyon gibi yüzde 5'ler, yüzde 10'larla yetinmek zorundayız, en iyi ihtimalle. Habire havanda su dövmek... Ne acı. Ne yıpratıcı. Bezdirici. Küstürücü. Değil mi?

TERKEDENLER/YAPIŞANLAR

Daha başlıktan bir grubu yeğlediğimiz, onları yüceltip diğer grubu yerin dibine sokup çıkaracağımız, intibaı çıkıyor.

Zira 'yapışanlar' lafında, var işte bir hor görme. Böyledir bunlar yapışık yapışık: Bööö ne güçsüz, ne statükocu, ne iğrençtir onlar... tarzı bir manevrayla, terkedebilenlerin nasıl da mühim ve değerli ve hakiki olduğunu, ortaya koyabileceğimiz.

Yooo. Al birini vur ötekine. Terkedenleri pek matah, pek özel saydığım çocukluk günlerinden miskince uzaklardayım. Ama can çıkar huy çıkmaz. Öksürmek kadar, aksırmak kadar doğal yapabildiğim bu esasında feci halde çocuksu 'huy', maalesef benim hakiki, hakiki olduğu için de korunmaya değer bir parçamdır. Yani terkedenler tarikatındanız diye kendi tarikatımızı övüp, öbürlerini rezil edecek halimiz yok.

Hele harbi terkedilecilerin katlanmak zorunda kaldığı tüm sıkıntıları dirhem dirhem tatmaktan, içimize fenalıklar geldiği (sahi mi bu?) bu geç yaşlarda. (Bu laf da sahi değil, hiçbir laf da. Fikirlerin sahicilik sorunu var. Fikirler bol, bol olduğu kadar da değersiz şeyler.)

Arkadaşım aradı. Şefkatle sevdiğim dünyada, insanlardan biri. Çok sevdiğim. Sevgiyle sevdiğim. (Bir de nefretle sevme olayı vardır ki, halk arasında 'aşk' dendiği de olur.)

Dünyanın en mühim bavul markalarından birinde tasarımcıydı. Başarıdan başarıya koşuyordu. Kendini işine kaptırmıştı. Gidiyordu öyle.

"Hindistan yolunda Türkiye'ye uğrayacağım," dedi.

"Ne Hindistan'ı?" dedim. "Bavul işi ne oldu?"

"Bıraktım. Çok sıkıldım," dedi.

Yaparken çok seviyordu. Ama bavul dizaynı dünyasında yükselebileceğiniz yerler belli işte. Bol ödüllü tasarımlarınızla övünç duyabileceğiniz daireler.

Bir ömür boyu bavul tasarlayan, bavul tasarımındaki başarılarına doymayan, doyamayan bir dolu cengâver de vardır hayatta. Onlar kötüdür, düşüktür demiyorum. Sadece ben onları anlamıyorum. Anlamadığım için de sinirime gidiyorlar. Benden değil onlar. Onların zırhlarını kafam basmıyor. Benim kumaşımdan dokunanları yeğliyor gibi görünüyorsam, onları anladığımdandır. Bildiğimdendir.

"Mysore Eyaleti'nde bir yoga ustasının yanına gidiyorum 6 aylığına" dedi.

"Kabul etti mi ki?" dedim.

"Yooo. 81 yaşında. Kapısının önünde yatıp bekleyeceğiz," dedi. "Yogayla hayatım bambaşka oldu."

"Bak, eski patronunun söylediği çıktı," dedim. "Hep terkedeceksin. Hep öyle."

"Sen de," dedi. "Bir kez terkedenler, hep terkederler."

"Çok özledim seni," dedim. Sevindim gelecek diye. Bende kalacak diye sevindim. Normal değil tabii: Kimse bırakın kalsın, gelsin dahi istemem ben evime.

Böyle bir terkedenler durumu var işte. Buna temayülü olanlar var. Bakın birilerinin geçmişine: Birtakım işleri, birtakım insanları terketmişse; şimdi en ıslah olmuş havalarında dünyanın, bir istikrar abidesi gibi dikiliyorsa, SAKIN İNANMAYIN.

Terkediciler ıslah olmazlar. Bu onların al ve ak yuvarlarındadır. Bir punduna getirir ya da çoğu zaman punduna dahi getiremeden, tüyüverirler. Punduna getirmek, doğru zamanı kollamak, yeni eşi bulmadan eskisini, yeni pozisyonu ayarlamadan bir öncekini bırakmamak, yapışanların stilidir. Onlar ancak çok doğru zamanda, çok çok işlerine gelecek koşulları iğneleriyle kazarak sağladıktan sonra, büfe ve salon ve koltuk ve bebek ve her şey, ayarlandıktan sonra bırakırlar ki, buna bırakmaktan ziyade iyi ve uygun bir durumdan daha iyi ve uygununa geçmek denilir. Terketmek değil.

Terkediciler pozisyon ayarlamazlar. Sevgililerinden öbürünü hazır edince ayrılmazlar, asla. İşlerinden de. Terkediciler, dünyanın en şahane, en kendine güvenen insanlarından oldukları için değil.

Aksine. Kendilerine de güvenmezler. Başkalarına da. Karşımdaki beni terketmeden, ben tüyeyim bari krizleri de olabilir. Güvensiz diyebilirsiniz yani onlara.

Ama onların meselesi 'güven' meselesinden daha ciddidir. Bir 'iç' sıkıntısı. Bir 'basma' hali. Bir ses. Duyarlar öyle. İçlerindeki ses cırcırcır konuşur. Rahat vermez.

Yapışanların öyle sinir illeti iç sesleri yoktur. Oyun planları vardır. Ders programları vardır. Akıl, mantık, şudur budur: on beşer yıllık habire kalkınma planları...

Terkedenler başarıyla kanları uyuşmayanlardır. Başarmanın değerini bi türlü kafaları basmaz. Ruhları da. 'İç'leriyle, 'ruh'larıyla meseleleri vardır. Galiba bu gereksiz nanelere: içe, ruha haiz olmalarıdır mesele.

Rahat yüzü görmezler, sanılsa da, yooo kimseleri üzmek istemem, ama rahatlarına pek düşkündürler. Yapışanların aksine.

ASİT KURUCU ÇALIŞMALARI BAŞLAMIŞTI

ASİT'i kuruyoruz. Anti Stil İntikam Tugayı: Açılımı bu. Picasso'nun lafını yazıyoruz. Zira grubun mottosu bu. "Zevk sahibi olmak yaratıcılığın baş düşmanıdır."

Bu stil merakından elalemin, GINA geldi. GINA. GINA.

Arkadaşım diyor ki: "Zevk sahibi insanlar hafif bir müzik eşliğinde sürekli bir alışveriş merkezinde dolaşıyorlar."

Sürekli bakınıyorlar. "A, bu ne kadar hoş. Ne kadar stilli." "A, bunu nerden aldın?" "Bilmem kim mi bu?"

Bilmem kim, tasarımcı. Böyle onların bildiği bir sürü 'tasarımcı' adı var. Bok yiyenler. Her tarafı sardılar. Artık bunların hadlerinin bildirilmesi gerekiyor. Yoksa boğulacağız, boğulacağız stilden.

Anti Stil İntikam Tugayı üç kişilik hücre gruplardan oluşacak. Ninja Kaplumbağa kılığında dolaşacaklar. Eyleme çıktıklarında. Tanınmamak için.

Mesela çok 'innn' bi yer var. Açıldı. Açılmış. Herkes ORDAN bahsediyor. Çok çok stilli bir yer. Stil sıçan, pardon saçan bir yer.

Yemekleri, mönüsü, hele hele hele hele (ne kadar hele desek az olur) dekorasyonu çok mühim. Bu yer çok mühim bir yer. Bi de Amerika'da 'Duvar Kâğıdı' diye bir dergi varmış. Still dergisi. Çok etkilenmişler ondan. Bu dergiyi bilmeyenler mesela, var olmasınlar, var olamazlar onlar için. O dergi, aynen bunların yeri. Şahane bir yer. İstanbul'a bi Soho açacaklar. Bunların amacı bu. New York'ta var. Londra'da var. İstanbul'un niye Soho'su olmasın?

Olsun. Olmalı. Olacak. Hadi, Sıraselviler'i Soho yapalım.

Neyse bu çok stilli yeri bi gece Ninja Kaplumbağa kılığındaki ASİT ekibi basacak. İçeri girmeleriyle çıkmaları bir olacak. Üç koku bombası atıp sloganlarını bağıracaklar.

TASARIM ASARIM

NERDE GÖRSEM ÇAKARIM.

Üç kere ayaklarını (sağ ayaklarını) yere vuracaklar bir de. Çok gülüyor olacaklar. Çünkü çok gülüyorlar.

Ve bir de ordan numune olarak alınan en nadide tasarım ürünlerini, hücre evlerinin bahçesindeki tasarım mezarlarına (acımadan etmeden) gömüp üstünde tepinecekler. Neşeli hücreler bunlar.

Bu arada ilave: Lokanta sahipleri kaçırılarak bu tasarımları seçmelerinin ardındaki derinnn nedenler sorgulanıp, sorgulamalar videoya kaydedilip söz konusu şahıslar serbest bırakıldıktan sonra... Sahip oldukları bütün Duvar Kâğıdı dergileri gasp edilip, tüm tasarım eşyaları hücre tasarım mezarına gömüldükten sonra...

Söz konusu şahıslar tüm KİMLİKLERİNDEN arındırılmış olarak tekrar topluma salıverilirler. Peki video kasetlerde ne var?

Bu dehşet kasetleri kamuoyundan titizlikle saklanacaktır. Müthiş itiraflar. Müthiş.

Bir de tabii tövbe ettiriliyorlar. Bir daha HİÇBİR tasarım ürününe el sürmemeye. Elalemi küçük görmemeye. Lokanta açmamaya. Stil kelimesini ağızlarına almamaya. Ve tabii en önemlisi sürekli olarak beyinlerini yıkayan Duvar Kâğıdı dergisine el sürmemeye. Onlar artık YEMİNLİ. Onlar artık bir HİÇ. Bitti gitti onlar. Stiller ellerinden alınınca KABUK gibi kalakaldılar. HİPER KABUKLAR.

ASİT'in başka sloganları da var. Onları henüz açıklayamayız. Toplum hazır değil. İşte bir ASİT hücresi muhallebicide toplandı. Yepyeni bir hedefleri var. Yine Sıraselviler'de. Başka bir hücre ise Nişantaşı'ndaki hedefe doğru yola çıktı. Bu yollar sana helal olsun ASİT. Sen daha kaç tasarım kurbanını eritir, yok edersin.

TASARIM ASARIM

NERDE GÖRSEM ÇAKARIM.

ELLEŞMEYİN! SOSYALLEŞMEYİN!

Yaz geldi.

Şimdi sizi önceden -bir saat ya da beş gün önceden- uyarmasam, akıl etmezsiniz, şöyle bir gevşeklik: sıcak havalar (onlar da gelemiyorlar ya, o da ayrı) deniz, toksifikasyon filan- sosyalleşir de, sosyalleşirsiniz.

MHP'li şehirbilim profesörü Ahmet Vefik Alp ne diyor: "Aleti bulduk," diyor. Yani deprem olacağını bir saat ya da (bu nasıl bir ya da'ysa) üç/beş gün öncesinden haber veren aleti bulmuşlar. "AMA" diyor, "ÇOK ÇOK RİCA EDERİM: MUHALEFET EDİLMESİN."

Evet. Böyle büyük bir TÜRK icadı söz konusu.

Ama Türklerin handikapı NE?

Türklerin handikapı hiç handikaplarının olmaması.

Sadece kâselerinin olması.

Hayır!

Türklerin handikapı birbirlerini yiyip bitirmeleri.

MUHALEFET PERMAMENT. (Bir nevi peynir çeşidi.)

Hani cehenneme inmişler de (antropologlar) bakmışlar Türklerin başında yok zebanilerden hiç kimse. Şimdi benden bu fıkrayı anlatmamı, beklemeyin. Her neyse. Ahmet Vefik Alp işaret ediyor. O etmiyorsa da, ben şahsen latan bir Türk milliyetçisi olarak onun bunun adına işaret etmekten imtina etmem.

Barutu Türkler bulmuştu. Civayı Türkler bulmuştu. Termometreyi Türkler bulmuştu. Astrolojiyi de, astronomiyi de Türkler bulmuştu.

Kansere bulduğumuz zakkum tedavisi hâlâ akıllardadır.

Elektriği Türkler bulmuştu. Treni de. Kalemtıraşı da.

Einstein, ilk kez burda açıklıyorum, Türk'tü: Dolayısıyla izafiyet teorisini de, Türkler bulmuştu. Zafiyet teorisini de.

Ama n'oldu?

Münafıklık ve muhalefetten her şeyi, her büyük keşfimizi ona buna kaptırdık.

Ben şahsen Ahmet Vefik Alp'in önemini, kendisi Milliyetçi Hareket Partisi İstanbul Büyükşehir Belediye Başkanı Adayı olunca, çektirip duvarlarımıza korsannn olarak astırttığı sivilize aile mutluluğu posterlerinden, taa ne zaman keşfetmiştim.

İşte muhalif Türklere karşı bir ciddi uyarı.

Bir uyarı da benden. KİTLE'me:

Sakın yaz geldi diye gevşemeyin: Sosyalleşmeyin.

Ayrıca bu işin yazı kışı yok.

Yazın da sosyalleşmeyin, kışın da sosyalleşmeyin.

Habire onla bunla görüşmeyin.

Hele YENİ insanlarla! Alışık olmadığınız, tanışıp görüşmediğiniz insanlarla SİZ SİZ OLUN, tanışmayın. Konuşmayın! Görüşmeyin.

Zaten eşek değilsiniz ya, bi kere görüşecek olsanız, konuşmaya da başlarsınız. Sakın!

Ne görüşün, ne konuşun, en temizi öldür Allah TANIŞMAYIN.

Ben şahsen yazın çözülmem.

Hele bu sene, bi türlü gelebilemeyen yaza, sosyalleşme katsayım, sosyalleşme arzusu katsayım, yerlerde sürüm sürüm sürünerek giriyorum.

Bu ne anlama geliyor?

Huzurum yerinde olacak anlamına geliyor.

En azından huzurum daha bir yerinde olacak anlamına geliyor.

Şimdi deniz kenarı -hele çocuğun varsa- bir ZARURET. Ama ben deniz kenarında asla sosyalleşmem. Güneşin altında beş saat-altı saat bana mısın demem. Garsonlar dışında, kızım dışında kimseye üç kelime dahi sarf etmem.

Etrafımda gerzek gerzek konuşanlardan tiksinirim o kadar. Hele etrafımda cep telefonlarıyla beş kilometre çapında yayın yapanlardan ne biçim nefret ederim, o kadar.

İfade etmem. Hele nefret duygularımı, asla ifade etmem.

Sosyalleşmenin en kallavi yoludur, zira.

Öyle nefretlik nefretlik yattığım yerde kitabımı okurum.

Çok mu lazım BİRİLERİYLE görüşmeniz?

Bir kere her zaman -yılmadan, usanmadan- söylemişimdir: Görüştüğünüz insan sayısı BEŞİ (rakamla 5'i) geçmesin.

Onları da en az 15-20'şer senedir tanıyor, olun.

Yoksa hiç olmaz. Yani çok şartsa, onlar var.

Onlar, vardır.

Onlar, yeter.

Gerisi fuzuli. Bırakın fuzuliyi, kafa ütüleyici.

Ruh büzücü. İç soğutucu. Mide bulandırıcı.

Ay, daha sayarken midem bulandı.

Sosyalleşmeyin. Fena olursunuz.

"Size söylememiş miydim!" derim. Hiçbir sorumluluk kabul etmem.

Aynen kendi sosyal bacağınızdan sosyal sosyal asılırsınız. Oturun. Ayağa kalkmayın. Çok konuşmayın. En iyisi bu. Ve de en temizi.

ANDY WARHOL'UN KURABİYE KAVANOZLARI

Öyle bir şarkı var: "Andywarholisonthewall" diye. Başlayan ya da devam eden. İçinde öyle bir satır geçen.

"Nerdeydi?" "Kimdi?" demeyiniz.

Rica ederim, yormayınız beni. Üstüme gelmeyiniz.

Ben bu adamla alâkalıyım yahu.

Onun üstüne yazılmış tüm baba biyografileri okudum. Okurum. Yenileri ve daha babaları yazılsın, okurum yine yani.

Bu resminin de hastasıyım. Zaten hastası olduğumuz resimleri alıp koyuyoruz kitabımıza.

Onlar üstüne yazıyoruz.

Eni konu çirkin bir adamın, ne hoş bir travesti olabileceğinin de kanıtı oluyor işte.

Geçenlerde, Münih'te (sıktın Münihmünih diyeceksiniz; ama bölüm süslerini, Münih dönüşü yazıyorum: zamanlama böyle) akşamüstü, büyük katedralin ordaki meydanda önümden bir travesti hızla geçti. Hani Alis'in tavşanının hızıyla.

Öyle tatlı bir telaş içinde. "Bir yere yetişen travesti" kompozisyonunda hani. (Öyle bir kompozisyon vardır ya.)

Enteresan bi travestiydi.

Bir kere muasır medeniyet travestisi.

Zira tıraşı dünden kalma. Beyazlamış düz saçları omuzlarına tam değmiyor: makul bir uzunlukta.

Ayrıca son derece muhafazakâr, kaknem bir kadın görüntüsü; huysuz bir teyze kılığı içinde.

Uzun, topuklarına kadar uzanan gri bir etek, beyaz bir gömlek, siyah bir ceket giymiş.

Siyah ayakkabıları da öyle: Ciddi, huysuz, otoriter teyze ayakkabıları. Daima iş bitiren. İşi olan.

"Evet, tabii ki," oldum. "İnsan travesti diye, illa frapan, illa orospu kılıklarında, illa teşhircilik zaruri ve çığlık çığlığa dolaşmak zorunda mı?"

Konservatif bir kadın olarak dolaşmayı da seçebilirsin.

O senin bir travesti olarak meşrebine kalmış.

Böyle bir aydınlanmaya uğradım onu görünce yani. Böyle çok ilgimi çeken şeyleri görünce yaptığım üzre, bir müddet arkasından da gittim.

"Seğirttim" daha doğrusu. Az sürdü filan.

Andy Warhol neresinden baksan mühim adam.

Çok beyaz çok çok beyaz bozuk bir cilt. Balkan köylüsü anne. Çok utangaç. Çok azz konuşan. Çok sessiz. Aseksüel nerdeyse. Öyle şeffaf ama içe kapalı bir salyangoz gibi. İşte hoş biri.

Benim "Andy Warhol'un kurabiye kavanozu koleksiyonu" diye bir lafım vardır.

Sevdiğim, nadide biri, diyelim bir "şeyi" beğendi. Bu bir Serdar Ortaç şarkısı da olabilir, fıstık yeşili bir çift ayakkabı da, kötü bir fıkra da olabilir, Leman'da bir karikatür de.

Ve diyelim kendini bilmezin (ne denli sınırlı, katı ve can sıkıcı olduğunu yani) teki onu HORR gördü. "Bunu mu beğendiniz?" Siz bu musunuz – tarzı. Ah biz ne seçkin ve seçkinci ve yükseklerdeyiz.

Faka basmayız zevk konusunda. Seçmecelikte. Ah biz ne elit! ne elit! ince! ipince – Neyse ne!

O zaman ben dönüp o az biraz incinen sevdiğime, bildiğime: "Andy Warhol'un kurabiye kavanozu kolleksiyonu" derim.

Bu kadar. İşte.

Andy Warhol gerçek bir korkunç kolleksiyoncuydu.

Öldüğünde evinden çıkan binlerce, on binlerce nesne açık arttırmayla satıldı.

Bir de işte, kurabiye kavanozu kolleksiyonu vardı. Kimini beş dolara, kimisini elli sente, kimisini elli dolara satın almış. Muhtelif kavanozlar.

Sonra onlar, müzayedede binlerce dolara satıldılar. Her biri.

Zira onlar kurabiye kavanozu değildi artık. Andy Warhol'un kurabiye kavanozuydular.

Böyle biri, sanatçı biri, gözü ve ruhu olan biri, GÖZ ve RUH olan biri; kalkıp çok banal, sıradan ya da düpedüz saçma bir şeyi beğendiğinde, o şey, "şey" değildir artık.

Seçenin ona yüklediği anlamla, başka bir şey olmuştur, dönüşmüştür. Malzemeleşmiştir.

O insan onu çaldığında, anlattığında, vitrinine koyduğunda: sergilediğinde düpedüz, artık o insanın malı olarak bambaşka bir mana kazanmıştır.

Bazı derinliksiz askerler, bu durumlardan anlamazlar. Onların elindeki reçetelerde, böyle bir ilacın tarifi yoktur.

Olmasın. Herkesin her şeyi anlamasını beklemiyoruz değil mi?

Köy, Olgunlaşma Enstitüleri, yok işte artık.

Ve kronik başöğretmenler, basit psikiyatristler, naçar didaktikler, emekliye ayrılmalarının ne denli elzem olduğunu kavrayamasalar da; bu hayat, onları Mumyalar Müzesi'ne çoktaaan yolladı.

BÖYLE BAŞA BÖYLE TIRAŞ

Boğaziçi Üniversitesi -yani öğrencileri- iki gece üst üste haberlere konu oldu bu hafta. Ana haberlerin ilgisine mazhar olmayı hak edecek, harikuladé ana haberlik bir halt etmişlerdi: Bir gün tatlısu komedyeni Beyaz'ı, bir gün ise Kenan İmirzalıoğlu başkanlığında tüm Deli Yürek ekibini üniversitelerine davet edip söyleşmişlerdi. Bravo Boğaziçi'nin seçkin ve seçkinci öğrencilerine, bravo bu kültürel hamleyi gerçekleştiren 'Mühendisleme Sosyetesi'ne.

Her iki şöhret de, tıklım tıklım dolu salonlara konuşuyorlardı. Ve oturdukları yerde arkalarına gerili bezde dev harflerle 'Engineering Society' (Mühendislik Toplumu? Topluluğu?) yazıyordu. Demek Boğaziçili mühendis adayları, Kenan İmirzalıoğlu'nun olsun, Beyaz'ın olsun değerli görüşlerinden feyz alarak ilerliyor hayatta. Aynen, Fatih Ürek'in Sayın Semra Özal'ın fikirlerinden feyz aldığı üzre. Bana feyz aldığın insanı söyle. Sana kim olduğunu söylemeyeyim. (Bırak, bende kalsın.)

Arkadaşımın kızı, Türkiye'nin en iyi okullarından birinde okuyor. Ağzını açınca bahsettiği şeyler; Bayrampaşa, Ümraniye ya da Halkalı'da oturan kendi yaş grubundaki kızların söyleyeceği, bahsedeceği şeylerin tıpkısının aynısı şeyler. Sürekli Yılan Hikâyesi'nden, oyuncularından, illa da Memoli'den, Cem'den bahsediyor. Sürekli! Sanırsın dünya Yılan Hikâyesi'nin etrafında dönüyor. Hani sıkı bir Fransız Okulu'nda okuduğuna göre, insan zevkle bir Balzac okur diye tahayyül ediyor. Hatta artık yaşı 15'e ilerlediğine göre Camus'lere, Sartre'lara sıçrar. Biz zira o yaşlarda kapış kapış Balzac okumaktaydık. 'Ne lan bu sosyal faşistliğin? Seçkinciliğin?' diyecek olanlarınıza, ben Ümraniye'deki yeniyetme kızlar da sabah akşam Memoli düşünüp konuşacaklarına, Balzac okuyup eğlensinler isterdim, diyeceğim. Bu gelir adaletsizliği anavatanında ilginç bir durum yaşanıyor: En geride bırakılmışlarla en müreffeh hayatlarda barınanlar, tektipleştirilmiş kültürel bir bozkırda tepinmekteler. Hepsi Nispet ya da Dedikodulu ya da Berduş'ta eğlenmeye gönüllü. Hepsi için mühim olan Kenan İmirzalıoğlu, Memoli, onların oynadıkları o felaket diziler, en iyi ihtimalle en son Teoman kaseti: İnanılmaz bir kuraklık, naçarlık, kısırlık ve banallik söz konusu. Evet, sanki Türkiye'nin üzerinden devvv bir BANALİZÖR geçmiş ve omnipotent bu yaratık herkesi, ama herkesi tektip bir banalliğe, aynı tarz bir kültüre, yani hazin bir kültürsüzlüğe sonsuza dek mahkûm etmiş.

Nasıl Terminatör'ün kim olduğunu biliyorsak; bu müthiş BANALİZÖR'ün de kim olduğunu biliyoruz. Marmaris'te yaşayan, ara sıra saçma sapan suikast vs. teorileriyle ortalığı bulandıran, o felaket ötesi resimlerin yaratıcısı. Evet, inanılmaz ama gerçek Kenan Evren! O, onun şahsında askeri cunta, onun akabinde Turgut Özal, kurtulunamayan Süleyman Demirel, tüm o MGK'lar, tüm o YÖK'ler, bünyemizden atamadığımız YÖK, YÖK, YÖK ve benzeri antidemokratik kurumlar. Kuruluşşlar. (Zira kurulmuşlar.)

İstanbul Üniversitesi'nin açılışında fanatik bir fanatik olan Kemal Alemdaroğlu'nu: konuşmasını, Erkan Mumcu'yla didişmesini, 10. Yıl Marşı'nı haykırarak söylemesini, dönüp Mumcu'ya: "Haydi bağırarak söylesene" el kol işaretlerini filan izlediniz. Şimdi siz çocuğunuzu böyle bir zat-ı muhteremin rektörü olduğu bir üniversiteye emanet etmek ister miydiniz? Bence muhtelif ve çok belirgin semptomlar gösteren bariz bir ruh rahatsızlığı çekmekte olan ve İstanbul Üniversitesi bünyesine yerleşmiş bulunan bu beyi, Türk psikiyatrlarına emanet etmekte sayısız ve nesnel birçok fayide var. YÖK var olduğu sürece Alemdaroğlu ve benzerleri 10. Yıl Marşı'nı haykırarak, bir demet sarmısağı irticai vampirlere doğru salladıklarına inanmakta devam edecekler. Antidemokratik ve kısır söylemlerinin, akademik ortamla nasıl bağdaşmadığına asla uyanmadan.

Buna karşılık, kürsüye çıkıp o esasında alkışlanası sözleri kekeleyip kukalıyarak söyleyen Erkan Mumcu kim? Mesut Yılmaz'ın genç hık deyicisi. Ben mesela kendisini çok net, Mustafa Süzer'in deniz kenarı otelinin açılışında Başkanı'yla Süzer'le, Beyaz'la filan 'Plaj Voleybolu' oynama sahnelerinden hatırlıyorum. Özal'ın kendisine armağanı olan yeşil alana Gökkafes'i diken, ANAP'la yakın alakası sayesinde iyice semirmiş bulunan bir iş güç adamı Mustafa Süzer. Ve ANAP, her şeyden ziyade bir 'sermayeye hizmette sınır, yasa, Anayasa yoktur' partisi. Onun için ANAP'ın Tansu Çiller gibi ciddi bir inandırıcılık sorunu var. İster muhalefetin Allah'ını yapsınlar, kimse -maalesef- onları ciddiye alamıyor. YÖK sonrası, Kenan Evren sonrası bu topraklarda: Beni ne Türk mühendislerine, ne de bu banal yığınlara emanet ediniz. Bu tektip kültür(süzlük) acayip korkutucu. Beni lütfen, YÖK öncesi bir gezegene gönderiniz. BANALİZÖR geçmemiş zamanlara.

MESAJCI

Benim bir adet arkadaşım var mesaj gönderen. Geçenlerde, doğum günümü kutlayan bir mesaj yolladı. Ben de ona kısa olsun, torba dolsun "Mersi canım," diye cevap geçeyim istedim. Beceremedim. Meğer bir kodu varmış mesaj yollamanın. Öyle mesajı kodu mu oturtan tipler var mesela. Benim koddan moddan haberim yok. Yollayamadım.

Yukardaki paragraftan çıkarılacak ders: Evet! Başak burcundanım. Allah'a şükür artık Başak burcundan bir cumhurbaşkanımız var. BİZLER: düzen hastası, prensip sahibi, analitik, eleştirel, şahane insanlarız. Bu kadar. (Daha fazla ders çıkarmayın; israf haramdır.)

Geçenlerde Oz Sirki'ne gittik. Sirklerin tabiatı olan o hüzün duygusu, yıpranmışlık duygusu, insanların ve hayvanların sömürülmüşlük, kullanılmışlık duygusunu çıkarıp gayet 'hip', gayet 'funky' hadi çekinmeyelim, postmodern bir sirk yaratmış Avustralyalılar. Bu neşelendirici gösteriden çıkarken, arkamızdan gelmekte olan kız, yanındaki kıza (Rumuz: Kepçekulak) "Ya, yemin ederim bir saniye bile sirki izlemedi önümüzdeki adam. Habire mesaj gönderdi," diyordu.

Yani böyle MESAJCI diyebileceğimiz bir insan tipi var. Meğer bu iptilanın pençelerinde kıvranmakta olan bir Ağır Abimiz varmış: Kadir İnanır. Dağlara, taşlara habire mesaj, mesaj, mesaj. Sevgi Sözcükleri... Kelimeler yetersiz mi kalıyor? Yedi ceddini, yedi cücelerim tehditleri... Motivasyon egzersizleri. Yani gündüz dememiş, gece üç dememiş, dört dememiş, etrafına topladığı o mankencik kızlara mesaj mesaj üstüne.

Maksat? Maksat, onları eğitmek. Öğretmek.

Manken, yaşken eğilir. Onları Suzuki Metodu'yla oyunculuğa hazır etmek. Buket Saygı'ya o mesajları tabii ki yollarmış, âşık iki insanı oynuyorlarmış. Böyle bir motivasyon canavarlığı var işin içinde. Almış 'sıfırdan' manken kızları, onları birer Meryl Streep yapıp bırakacak. Yeter ki tevekkül göstersinler. Yeter ki sabırlı davransınlar. Başarılı her kadın oyuncunun arkasında mesela, mesaj müptelası bir koca, pardon hoca, vardır.

Kadir İnanır'ın böyle bir stili olabilir. Ağır Abimiz'dir. Böyle bir stili vardır. Ama karşısında Mesaj Adam Çelik'in sevgilisi vardı: İşte bence İnanır'ın hesap edemediği bu, oldu. Ben, Derman Bey seti öncesi/sonrası/esnasında çarşaf çarşaf Ağır İnanır+Manken Kızlar fotoğrafları çıkmaya başlayınca, "Abi, Çelik'in kız arkadaşının bu ortamda işi ne? Araları bitti herhalde," olmuştum. Zira Kadir Abi'nin çattığı kadroda, tüm o çarşaflama fotoğraflarda -balık baştan kokar- ağır bir saçmalık zaten, var idi.

Türk Sineması'nda son zamanlarda bir sürü çok güzel ve yetenekli genç kadın oyuncu 'keşfedildi.' Ama onlardan hiçbiri, kalkıp Derman Bey'de vazo/perde/aksesuvar rolüne çıkmayı kabul eder mi? Etmez. Peki megaloegemen Kadir İnanır onları ister mi? İstemez. O, sette mutlak hükümranlığını istiyor. Alacak o manken kızları. Onlar karşısında heyecandan tirtir "Çocuğum, şöyle yap", "Aferin yavrucum ver bir yanak", "Biraz daha yakın plan bakış çalışmam lazım," böyle böyle hem gönül eğleyecek, hem onları adam edecek. Ona sustalı maymun lazım. Bütün bunlar, Kadir İnanır'in taciz tanımına giriyor mu? Asla girmiyor!

Kadir İnanır, orda, Derman Bey'in setinde kendini yarı tanrı olarak konumluyor. Konumlamış. Konuşlanmış. Peki, Kadir İnanır'ın 'doğal tutumu' cinsel taciz olarak telakki edilebilir mi? Bal gibi edilebilir. O sette bir Amerikalı manken olsaydı, "Az daha tecavüze uğruyordum" diye dahi, dava açabilirdi. Her şey nerde durduğun, nerden baktığın, ne kadarına katlanmaya razı olduğunla alakalı.

Şimdi Ağır Abimiz, muhakkak, kendini ağır hakarete/haksızlığa/terbiyesizliğe uğramış addediyor. O, hayatı boyunca bunları yaşamış, yaşatmış ve kabul görmüş. Buket Saygı sıkı Türk vakalarından Çelik'in sevgilisi olmasaydı, o da bunları sineye çekebilirdi. Çelik şudur, budur. Bu olayda Çelik müşteki taraf ve ayrıca son derece samimi. Kalkıp kimse böyle bir zırvalıkla kendi reklamını yapmaz. Çelik, hiç yapmaz. Çocuk, başlarına gelenleri anlatırken sinirden tir tir titriyor.

Ağır Abimiz'in Ağır Feylezof akrabası Levent İnanır, atv ana haberde, Çelik'in inandırıcılığına uyanmış olmalılarki, 'o kız' tarafından saf ve bakir Çelik'in oyuna getirildiğini iddia etti. Ayrıca Buket Saygı sette kırıştırıyormuş, şuymuş buymuş. Farkındaysanız T.C.'deki tüm taciz/tecavüz iddialarında Kurban'ın nasıl fingirdek olduğu derhal dökülüp saçılır. Buket Saygı o sette başka bir oyuncuyla flört etmiş DE olabilir. Bu, kesinkes

Ağır İnanır'ın tacizine maruz kalmadığı anlamına gelmiyor. Gelemez de. Böyle her olayda, kadının inandırıcılığının tam olması için Bakire Meryem olması koşulu, bu ülkenin meselesi. Son kertede tacizciyle özdeşleşiliyor zira. Kurban'a empati duyup anlamaya çalışmaktan ziyade. Ağır Abimiz'in 'Vur de öldürelim' mesajlarıyla kilitlenen telefonu filan, iğrenç ötesi. Belki vesile olur, Kadir İnanır kadınlara bakışını, yaklaşımını sıkı bir gözden geçirir. Zira devir değişti ve insanlar bazı şeyleri kaldıramıyor, kaldırmak istemiyor artık. Bu da, bu hikâyenin güzel ve olumlu yanı.

KADINLAR KİMDEN YANA

Ağır Abimiz Kadir İnanır'ın 'taciz vakası' aslında harikulade bir örnek teşkil ediyor 'Memlekette Taciz Kıtlığı Vardı da Biz mi Yetişmedik' diyarında.

Ben Buket Saygı'nın taciz edildiğine, tabii ki inanıyorum. İnsan kalkıp böylesine sefih bir konuda, perişan vaziyette ortalığa dökülür mü, bunca rencide edilmese. Üstüne tehdit edilmese. Küfrü, hakareti (yaygın bir stildir: yavuz hırsız ev sahibini bastırır stili) yemese.

Peki Buket Saygı, Çelik gibi ünlü, iddialı ve iddiacı, takıntılı ve kendi çapında güçlü birinin sevgilisi olmasaydı; altına sığınabileceği böyle kanatlar söz konusu olmasaydı, "Tacize uğradım. Sinirlerim tel tel, onurum beş paralık edildi," diye ortaya çıkabilecek miydi? Hayır. Hiç zannetmiyorum.

Giriştikleri bu mücadelede bu çiftin çok yara aldıkları ve çoook yara alacakları ortada. Bütün bunların nihayetinde, beraberliklerinin sürdürülme olasılığı dahi, çok az gözüküyor. Böyle büyük fırtınaların, faciaların, rezaletlerin akabinde çiftler genellikle ayrılıyorlar. İstatistiksel olarak.

Yani neresinden bakarsanız, yürekli bir davranış bu yaptıkları ve kesinkes kutlanmayı hak ediyorlar. Bir ilk de teşkil ediyorlar. Zira nezih vatanımızda tecavüze dahi uğrasan, susup oturman daha 'doğru' kabul ediliyor. Kol kırılır, kadının ruhu kırılır, yen içinde kalır. Türkiye, devasa bir yen ve her şeyin içimizde kalması icap ediyor. Poliste işkence de görsen yen içinde kalmalı, amcaoğlunun tecavüzüne de uğrasan, işyerinde patronunun tacizine de maruz kalsan.

Bu olay, sinirlerine hâkim olamayacak denli üzülmüş Çelik ve yanında yorgun argın oturmakta olan sevgilisi tarafından ortalığa, hiç de 'örf ve ananelerimize yakışmayacak' bir şekilde dökülüp saçıldıktan sonra, diğer manken kızlarımızın tepkileriydi en en acıklı olan. İnanır'ın yüzlerce, binlerce kişilik kendilerini iftiharla 'feodal' olarak tanımlayan aile fertlerinin tepkisini nispeten anlıyorum. Ağalarını korumak ve kollamak için tabii ki bekçiler gibi, atılacaklar ortaya. Çıkıp kurbanın namusunu sorgulatacaklar.

Buket Saygı'yla aynı işi yapan diğer mankenler ne yaptılar? Hakiki bir yalakalık sergilemekle başladılar işe. Yarıtanrı müthiş büyük oyuncu/insan Kadir İnanır'a karşı. Aman o ne saygıda, hürmette, yalakalıkta kusur etmemek! O ne patron/cazibe merkezi/en mühim insana gösterilen ihtimam, yakın alaka, sevgi çemberi! Özellikle dizide Ağır İnanır'ın kızını oynadığı söylenen bir yaratıkcağız var. Bu mankencik, sürekli terini siliyor Kadir Ağırlık Abi'sinin. Elini tutuyor. Suyunu uzatıyor. Yalnız ayakları yıkama sahnesi eksik bu mutluluk tablosunda. Onu da, belli bir mahremiyet çerçevesinde yapıyor olabilirler.

Bu ağır hizmet görüntüleri, yeminle, Ağır İnanır'ın kızını oynuyor olmasıyla açıklanıyor. Yani sette böyle yüzde yüz bir özdeşleşme arzu ediyor anlaşılan Ağır Abimiz.

Buket Saygı ise sevgilisini canlandırıyor. Tam bir canlandırma talep etmesinden Kadir İnanır'ın daha doğal ne olabilir?

Adam bir kere Metot Öğretileri'ne gönlünü kaptırmış. Kendisi 30 senedir aynı bir-iki mimik, aynı ağlar gibi gülen yüz ifadesiyle idare etmiş olabilir. Karşısında, ultra verimli/ağırözdeşleşmeli bir oyunculuk bekliyor işte.

Diğer kızlar da sırasıyla, karşıkonulmaz Derman Bey'e (yani öz Kadir İnanır'a) âşık olacaklar dizi boyunca. Kadir İnanır'ın kadirizminin gücüne dayanarak, egosuyla örtüşmek üzre (mümkün mü bu?) yazdırdığı bir senaryo söz konusu. Sette hayalle gerçeği, filmle hakikati anlaşılan birbirine karıştırmış iyice İnanır. Bunun verimi (oyunculuk verimi kast ediliyor) ne biçim artıracağını düşünerek.

Geçen gece ana haberlerde, setten görüntüler vardı. Diğer kızlar taciz esprileri yapıyorlarmış, kahkah ne komik ve de Karşıkonulmaz Abimiz'e bağlılık törenleri, hakikaten ağır banal görüntülerdi. Çıkıp bu kızların bu sefih dizideki rollerinden olmamak için, bu tarz 'tacizleri' zaten eşyanın tabiatından saydıkları için, bir otorite figürünün yanındaki haklı yerlerini almayı bir hemcinslerinin, meslektaşlarının yanında yerlerini almaya yeğledikleri için, incelenmesi gerekmiyor mu peki? Türk toplumunun kadın nüveleri olarak? Türkiye'nin temel meselesi bu: Ezilen, derhal ezenle özdeşleşmeye yelteniyor. Ne kadar çitileseniz bünyeyi terk etmeyen bir kapıkulu geni. Kadınlar, hemcinslerinin yanındaki haklı yerlerini almaya, daima tacizcinin yanında durarak iftihar etmeyi ("Biz bu işi adabıyla yaparız. Seni gidi manyak oyunbozan") yeğliyorlar. Tacizciyle iftihar ediyorlar. Kendileriyle. Kendilerinin oyunu hakkıyla oynamasıyla. Çok rahatsız edici. Ve çok umut kırıcı. Gönül kırıcı. Kadınlar, bu topraklarda diğer kadınların kurdu. Erkeklerin bekçi köpeği.

SEMRA ÖZAL ŞAHSINDA VİPLENMİŞ TÜRKİYE

Hani herkesin takık olduğu bir insan tipi, bir insanlık durumu vardır. Bazı iyi aile kızları, asla sarhoş insan görmeye tahammül edemezler. Gözleri dahi değsin istemezler. Böyle düşük bir insanlık durumunu, alışık olmayan bünyeleri, asla kaldıramaz. Öyle hiçbir şey görmemiş gibi, başlarını çevirir, ruhlarının SİL düğmelerine sedef ojeli tırnaklarını geçirirler.

Bazıları, travestilere bakmaya tahammül edemez. Değil onlarla konuşmak, varlıklarını kayıt dahi etmez, edemezler. Bazılarının üstünde berduşlar, düşkünler, tinerci çocuklar ve çok genel olarak fakir fukara bu etkiyi yaratır. Özünde, bu varlıklardan tiksinirler. Onlarla aynı gezegeni dahi paylaşıyor olmak istemezler. Onların bulunabileceği yerlerden bucak bucak kaçar;

paralarıyla kendilerine ördükleri zırhlarının içinde, böyle 'tatsızlıklarla' karşılaşmadan, yaşar giderler.

Bazılarının üstünde sakatlar, körler, ölümcül hastalığa yakalanmış insanlar bu etkiyi yaratır. İtiraf edin! Empati katsayısı en yüksek, en misyoner, en adanmış ulvi ruhlardan dahi olsanız, sizin de gözünüzün değmesini istemeyeceğiniz, tüm benliğinizle nefret nefret! ettiğiniz birileri, bir insanlık hali vardır.

Benim üstümde bu ağır gözümü değdirmeme arzusunu, yoğun ruh ve mide bulantısını yaratan bir insan tipi var. Bir çeşit Türk semirmiş burjuva kadını! Onlardan hakikaten fiziksel bir şekilde, tiksiniyorum. Mideme bir dönme, ruhuma bir cendere hissini salıveriyorlar. Mevcudiyetleri bana ağır geliyor. Mevcudiyetlerine katlanamıyorum!

Hürriyet'te, sarı siyah iyice gerdirilmiş teninin üstünde, artık tamamen sarı kanarya kıvamında tuttuğu mizanpilili saçları, altın tel çerçeveli geniş gözlükleri, göstermelere doyamadığı üç kat gıdısı, allıkla elma elma yapılmış yanakları, koyu pembe bir rujla çerçevelediği tüm yüzünü kaplayan o mağrur, o alabildiğine kendinden hoşnut gülümsemesiyle, gözlerinin içi yol arkadaşına kavuşmuş olmanın verdiği hoppa mutlulukla gülen bir tane Semra Özal, VİP salonundan geçerken gösteriliyor. Aman o ne neşe! O ne coşku! İçinde çokça o kendinden dünyalar kadar emin ortaokuldan terk kızın muzipliği de var. Nasıl olmasın canım? Kullanmaya hakkı olmadığı bir haktan, en samimi arkadaşı Fatih Ürek'i de yararlandırmış olmanın o matrak kıvancı! Semra Özal her şeyi ama HER ŞEYİ Türkiye Cumhuriyeti'nde, kendine HAK görüyor. İşte şimdi de kankası mı nedir o illet kelime, sahnelerde izleye izleye magazin kameralarını aşındırttığı biricik arkadaşı terkisinde, Kıbrıs'a bir 'Yaza Elveda' kaçamağına uçarken, kendine her şeyi ama her şeyi hak görmenin o ılık sıcaklığı, güveni içinde!

Başbakanlık Personel ve Prensipler Genel Müdürlüğü'nün

93 tarihli genelgesine göre Şeref Salonu'nu 'kullanma hakkı bulunanlar,' maiyetindekileri, sayısına bakılmaksızın salondan yararlandırabiliyorlar. Yani rahmetli sağ olsaydı maiyetinde bulunan eşi Semra Özal'ı ve onun nice âlem arkadaşını VİP'ten geçirebilirdi. Ama Turgut Özal vefat etmiş vaziyette ve Semra Özal'ın diğer eşi vefat etmiş cumhurbaşkanı, başbakan eşleri gibi, o salonları kullanmaya hakkı yok. Efendim, Semra Özal 'yazılı olmayan kurallar çerçevesinde' 'faydalanıyormuş', daha doğrusu: istismar ediyormuş bu durumu. Ayrıca yazılı olmayan kurallar ve onların böyle bir çerçevesi olacak idi ise yazılı bir genelgeye ne gerek vardı? Maksat; bu kuralsızlığın, lagarlığın, istismarın anavatanında önüne gelenin VİP salonlarına damlamasını engellemek değil mi?

Ama işte en yakın arkadaşı Fatih Ürek, bilet pasaport ve bagaj işlemlerini aynı Semra Özal gibi güvenden ışıyarak Türk polislerine yaptırmış, VİP salonundan sekerek geçiyor.

Alla'sen hangi kural Semra Özal'ı ve onun gibileri bağlar ki? Tavernalar Kraliçesi Semra Özal, işte şimdi müdavimi olduğu Fatih Ürek'le, VİP salonundan geçip, Yavru Vatan'a kumar, deniz, kum ve dalgalara doğru uçuyor.

Semra Özal'ın beni eğlengeceleme yerlerinde çekilmiş panayır hatırası fotoğrafları da acayip rahatsız ediyor. Semra Özal beni rahatsız, beni mustarip ediyor. Semra Özal'a baktıkça bugünkü balina, paraşüt, kasırga operasyonlarına neden habire muhtaç olduğumuz düşüyor aklıma. Çivisi çıkmış hukuk sistemimizde olsun, kemirilmiş tüm kaynaklarımızda olsun, talan edilmiş yeşilliklerimizde, arazilerimizde, içine edilmiş memleketimizde, her şeyin üstünde bana Semra Özal'ın vesikalığı gülümsüyor. Semra Özal, yanında yakın arkadaşı Fatih Ürek, her yerin üstünde bayrak gibi, dalgalanıyor. Onlar, orda burda dalgalandıkça, benim de midem yerinde duramıyor.

BİR REKLAM (UZUN) FİLMİ

Yakın plan –bir-bir buçuk yaşlarında sarı bukleli saçlı, tombul yanaklı bir kız çocuğu yatağında uyumaktadır.

Kamera, yumuşak bir ışık ve yumuşacık bir müzik eşliğinde bebeğin odasını dolaşıp balkona çıkar. Bebeğin odasının kapılarının açıldığı balkonda harikulade estetik bir cep telefonu anteni (namı değer baz istasyonu) tatlı tatlı durmaktadır.

Tok ancak natürel bir dış ses, konuşmaya başlar: "Bir baz istasyonunun yaydığı radyasyon miktarı, bir ampulün yaydığı radyasyon miktarına eşittir; hatta daha bile azdır. Üstün bir teknolojinin eseri olan bu güzelim baz istasyonu TSE'nin belirlediği elektromanyetik ölçüler uyarınca, elektromanyetik kirlilik yaratmaktadır. Türkiye'deki hiçbir baz istasyonunda gereken ölçüm ve denetimlerin yapılmadığı, hatta Türkiye'de bu ölçümleri, denetlemeleri yapacak aletlerin dahil bulunmadığına dair çıkartılan söylentileri, boşverin.

"Genç Serdengeçtiler bebeklerinin yattığı balkona bir baz istasyonu kurulmasını kabul ettiler. Böylece yılda faizsiz, dertsiz tasasız 10 bin doları, ceplerine indirdiler.

"Bu alış ve verişten öylesine memnun kaldılar ki, yan duvarlarına (bu sefer 15 bin dolar karşılığında) ve çatılarına (bu sefer 25 bin dolar karşılığında) birer baz istasyonu daha yerleştirttiler. Böylece minik Buse'nin kolej taksitlerini çıkarmış oldular.

"Onlar genç, dinamik, cesur ve uyanık Serdengeçtiler. Ayrıca bakın bu konuda bilim adamlarımız ne demekteler?"

İTÜ Elektrik ve Haberleşme Mühendisliği Bölümü'nden bir 'bilim adamı' kameraya doğru konuşur: "Elektromanyetik ortamın, yani baz istasyonları sayesinde içinde bulunacağınız ortamın, ısınma yoluyla canlıların hücrelerini ve vücudun işleyişini bozan etkiler yaratacağı iddiaları külliyen yalandır. Bakın ben size (neye dayandığımı sormayın) garanti veriyorum, bunlar kansere karşı bağışıklık sistemimizi filan çökertmedikleri gibi, beyin tümörlerine neden olmazlar, takatsizlik, unutkanlık, başağrısı, mide bulantısı gibi yan etkiler yaratmazlar; aksine cana can, kana kan, hücreye hücre, zekâya zekâ katarlar." (Burada 'bilim adamının' burnunun ucu iyice kızarır ve genzini temizler.) "Mikrodalga bir fırının içine girip onun dalgalarından mikro mikro yararlandığınızı, ya da tam tepenizde 10-15 bin cep telefonu görüşmesinin sebep olduğu radyasyondan nasıl da faydalandığınızı düşünün. Gerisini düşünmeyin. Gerisini sizin adınıza ben (gözlerinde dolarlar yanıp söner) feşmekan GSM operatörü adına yaptığım araşbuluşturmalar sırasında zaten, düşünmekteyim."

Bu sırada, bebek yatağında sağa sola dönmeye ve huzursuzlanmaya başlar. Birazdan yatağına oturur ve avazı çıktığı kadar bağırarak ağlamaya başlar. Tok ve fakat otoriter dış ses devrededir: "İşte size baz istasyonlarının hiç de bile uygunsuz yerlere konulmadığını kanıtlayan THE RAPOR!"

Tuzla'da gayri meskûn bir alana yerleştirilmiş baz istasyonuna alınmış bulunan THE RAPOR taklalar atarak gelir ve ekranı kaplar.

"Her baz istasyonu için AYRI rapor alınması gerektiğine dair safsataları boşverin. Bi rapor neyimize yetmez. Birimiz hepimiz hepimiz birimiz için" (bu son lafı bağırır.)

Kız bebek artık katılırcasına ağlamaktadır. Kamera alt katlarda pan yaparak kulaklarına yapıştırdıkları cep telefonlarıyla samimi görüşmeler yapmakta bulunan anne ve babayı gösterir. Bebek, birden yastığının altından pembe ayıcık desenleriyle kaplı kendi cep telefonunu çıkarır. Ağlaması diner. Agucuklar yapmaya filan başlar. Artık çok mutludur. "Çocukların cep telefonu kullanmamaları; zira radyasyondan, beyinleri gelişmekte olduğu için, daha fazla etkilendiklerine dair çıkartılan safsataları filan DA HİÇ kaale almayın. Siz kendinize Genç Serdengeçtileri örnek alın. Hepiniz birimiz için!

"Halka arz ediliyoruz. Koşun ALIN."

- Finlandiya ve İngiltere'de yapılan araştırmalarda, cep telefonlarından yayılan mikrodalga radyasyonların beyni etkilediği kanıtlandı. Bu kanıtlardan yola çıkarak çocuklarla ilgili tavsiyeler (çocukların cep telefonu kullanmaması yolunda) oluşturuldu.

- Washington Üniversitesi'nden Dr. Henry Lai, cep telefonlarından gelen radyasyonun farelerin beynindeki DNA moleküllerini -aynı insanlarda Alzheimer ve Parkinson hastalıklarında görüldüğü gibi- parçaladığını keşfeden çalışmasını, Stewart Komitesi'ne sundu.

- Beynin sağ yarısında oluşan tümörlerle, başın sağ yanında cep telefonu kullanıyor olmak arasında bir korelasyon olduğu saptandı.

OTAĞTEPE'DE MAYMUN KRİZİ

Son günlerin en mühim haberlerinden biri, Hürriyet'te uzun uzadıya işlenmiş olan Otağtepe adıyla maruf zengin yatağında patlak vermiş bulunan MAYMUN KRİZİ'ydi.

Ya, bu ad güzel: Maymun Krizi. Ne kadar yazsan yazasın gelen, ne kadar söylesen o kadar söyleyesin gelen laflardan. O sihirli, sinirli.

Hani bu adla bir tiyatro eseri kazandırabilir Devlet Tiyatrosu bünyesine. Bir ırmak roman kaleme alınabilir. Bir kavramsal eser çırpıştırılabilir. İnsanın önünde çok imkân açan laflardan, işte.

Olay şöyle gelişiyor:

Canan Barlas gidiyor ve kendine bir maymun satın alıyor.

Belki de satın almıyor, değerli eşi kendisine hediye etmiştir. Bir arkadaşı etmiştir, yani öyle de olabilir, böyle de, haberde bu konuda bir aydınlanma yaratılmıyor. Karanlıktayız maymuna nasıl kavuşulduğu hususunda.

Ama Canan Barlas, yıllardır yaşamakta olduğu "İstanbul'un en seçkin ve huzurlu sitelerinden Çubuklu sırtlarındaki Otağtepe'de" birden maymunuyla beliriyor.

Belirmesiyle birlikte siteden huzur, arka kapıda bekçilere filan görünmeden sıvışıveriyor.

Site 'sakinleri' büyük bir huzursuzluğun pençelerine esir düşüyorlar: Onca parayı, bu huzursuzluğu maymun maymun, pardon yudum yudum, tatmak için mi dökmüşlerdi Otağtepe evlerine?

Maymun, onların o güzelim, o asude, o steril, o ritmik hayatını darma duman ediyor. Huzur böyle bir şeydir işte: Milyonlarca dolara kazanılır, bir maymunla uçar gider. Yani muhafaza etmesi güç, derin dondurucu gerektiren şeylerden biridir, hatta biriciğidir huzur.

Canan Barlas "Otağtepelilerin anlattığına göre, maymununu yeni doğmuş bir çocuğu sever gibi seviyor ve yanından 1 an bile ayırmıyor."

Demek Otağtepeliler habire bu mevzuu konuşuyor. Anlatıyorlar dertlerini. Zira derdini anlatmayan derman bulamaz; maymun bulur. Ünlü Çin atasözünde dendiği gibi.

"Her gün birkaç kez sitenin çiçeklerle bezeli bahçesinde yürüyüşe çıktığında, maymununu da yanına alıyor, bazen kucağında, bazen de sırtında gezdiriyor."

Bu tasvir de çok güzel.

Site sakinleri ne yapıyorlar peki?

1) Önce maymunu YADIRGIYORLAR.

2) Sonra bu yadırgama 'tiksintiye' dönüşüyor. (Yemin ederim aynen gazetenin laflarıyla aktarıyorum. Aynen.)

3) Avluda Canan Barlas'ı maymunuyla gören Otağtepeliler, ARTIK yollarını değiştirmeye başlıyorlar.

Neymiş

Yadırgama-Tiksinme-Kaçış

Kırın bakalım bu döngüyü kırabilirseniz Yankı Yazgan kimliğinde Türk psikiyatrları.

'Ama asıl kıyamet' (yine aynen gazetenin lafı), "Canan Hanım'ın maymununu sitenin çocuk parkındaki salıncağa bindirmesi üzerine" kopuyor.

Canan Hanım ne yapıyor? Maymununu, aynı çocuğunu sallar GİBİ sallıyor. Bu tabii, sitenin o ana kadarki sakinlerini (zira artık 'sakin' adıyla değil de, sinirli adıyla anılacaklar) ÇİLEDEN ÇIKARIYOR.

Eski sakin yeni sinirli, Canan Barlas'ın yanına gidip maymununu salıncağa bindirmekten, onu şu sözlerle men ediyor: "Ben bu salıncağa torunumu bindiriyorum. Bu hayvanı oraya oturtamazsın."

Büyük bir tepki! Dev bir isyan!

Şimdi ben anlamıyorum; site sinirlisi, maymunun oturduğu salıncağa torun oturursa, torununun maymuna dönüşmesinden mi korkuyor? Batı Sumatra'da, pardon Otağtepe'de böyle bir inanç mı var? Çocuklar, maymunların oturduğu salıncağa otururlarsa maymun, kaplanların oturduğu salıncağa otururlarsa kaplan, kurbağaların öptüğü prens prenses: ay böyle bir dönüşüm döngüsü olayına inanç mı mevcut?

Yoksa torununun bindiği salıncağa maymun oturtularak zımni bir stille toruna MAYMUN! mu denmiş oluyor: "Benim maymunum dahi senin torunundan güzel" anlamında bir mesaj mı çakılıp söndürülüyor?

Yoksa mesele hijyen mi? Maymunun altı mı kirli? Maymunun altında çocuk bezi, pardon küçük maymunbezi bağlı değil mi? Maymunun kirlettiği salıncağa daha sonra torun oturursa Tommy Hilfiger şortu mu kirlenecek? Olay MİKROP olayı mı?

Çok karışık. Çooook.

Canan Hanım ne yapıyor? (Burası inanılmaz acıklı.)

Maymununu kucağına alıyor. Maymun kollarını sahibesinin boyuna doluyor ve beraberce evlerine dönüyorlar. Aynı çocukluğumuzun Ayşegül'ünden bir sahne gibi.

HADEP'in ikide birde basılması, taban fiyatları, güdük altı zamlar, F tipi cezaevleri, düşüncenin suç olmaktan çıkarılmaması, idamın hâlâ kaldırılamaması vs. vs. vs. gibi afaki şeyler yüzünden çelik sinirleri bana mısın demeyen site 'sakinleri', bir maymun yüzünden tarumar oluyorlar. Onların 'sitelerinde' bu olmamalıydı. Böylesine hakiki bir huzur, hiç mi hiç bozulmamalıydı. Olacak iş değildi. Hayır. Olamazdı.

ÇEKİRDEK AİLENİN YALDIZLARI

Bu yaldız fena şey biliyor musunuz; eninde sonunda dökülüyor. Hiç yaldız olmasa, diyelim mat tahta olsa, çok daha iyi olacak. Yaldızlar dökülünce, iyi olmuyor.

O yaldızlı günler hatırlanıyor; o ihtişam, saadet, huzur 'dolu' günler: o taklit günler, o riya, o ağır yalan, bütün o yalanı ayakta tutma, zevahiri kurtarma gayretkeşlikleri... O yıldızlı beşler, sınıf birincilikleri, o teğellenmiş gülücükler, o güzelim çekirdek aile, o ailenin reklam filmi görüntüleri...

Manço Ailesi'nin bir nevi 'yeni şehir aristokrasisi' olarak kutsandığı zamanları hatırlayın. Cenazeden manzaraları. 'Dünyaca ünlü' Baba ölmüştür. (Ki ne gerek var böyle bir abartmaya? Dünyaca ünlü değildi Barış Manço. Olması da gerekmiyordu. Bize ait kaynaklardan doğru şekilde beslenerek bizlere onlarca yıldır hitap etmekte olan besteler yapmıştı. Bu, yetmez mi? Bu, yeterince mühim değil mi?) Şehirli Türkler, Prenses Diana'nın cenazesinin imitasyonu olayına gidiverdiler. Son derece enteresan bir 'yas simülasyonuna' iştahla giriverdiler.

Önde bir Rolls Royce gidiyordu. İçinde isimleri Doğukan ve Batıkan olan iki oğlan çocuğu ve bir adet Mağrur Yaslı Kraliçe Eş oturuyordu. Yaslı Kraliçe kendini başarıyla böyle konumluyordu. Türk ölçüleri için, mağrurluğu biraz fazla, yasta olma hali biraz azcaydı. Fazla kontrollüydü. Fazla mükemmeldi. Fazla mekanikti. Güzel konuşmalar yapıldı. Güzel Siyaset Meydanları çatıldı. Fenomen tartışıldı. Tartışılmadı da, kutsandı da kutsandı. 'İdeal Sanat Adamı' ölmüştü. Şehirli harikulade çekirdek aile, dimdik ayaktaydı. Bu aile, gözalıcıydı. Bu aile, tam istendiği üzre, çok Avrupai çok kentsoylu bir kıvamdaydı. Ana haberciler özdeşleşiverdiler, sarmalanıverdiler. Bu aile, işte TAM onlardı.

Sonra, sonra hem çerçevenin yaldızları dökülmeye başladı; hem de mükemmel yağlıboya tablonun altından daha önce aynı tuvale boyanmış bambaşka bir resim belirmeye. Bir pentimento! Tüm pentimentolar gibi arzu edilmeyen. O nedenle yok edilmiş. O nedenle yok sayılmış. O nedenle üstü boyanmış.

Aile Babası, sevgilisinin kollarında ölmüştü. Üstelik Viagra almıştı almamıştı banalliklerine kadar varıldı. Yeni bir ilacın tıbbi etkilerinden ziyade, işte başka bir şey tartışılıyordu. Aile Babası'nın sevgilisi tam bir felaketti. Bir yıl bekleyip -nedense- ortalığa saçıldı. Çok rahatsız edici, iticiydi. Çok kötü bir artistti. Bu arada Kutsal Dul'un sevgilisi tespit edildi. Kutsal Aile'yle birlikte Manço Tatil Köyü'nü inşa eden Müteahhit'in, Kutsal Dul'la o kutsal dul olmadan önce, daha yalnızca Süper Saygın Eş'ken birlikte olduğu ortaya çıktı. Müteahhit Sibel Can'la ilişkiye girince, meraklar yüz binle çarpıldı. Harikulade bir tipti.

Yüzüne bakınca SAHTE ÇEK filan yazılı olduğunu gördüğünüz tiplerden. Aile Babası'nın Korkunç Sevgilisi'ni tehdit etmişti. Şunu yapmıştı. Bunu yapmıştı.

Bu Müteahhit Sevgili'yle birlikte çatılmış, bir Manço Tatil Köyü vardı. Niye vardı ki? Kutsal Sanatkâr neden bu kadar girişimciliğe, arsa kapatmaya, inşaat çatmaya, rahat avcılığına meraklıydı ki? Ortada trilyonluk borçlar vardı. Kutsal Dul'un imzası bir zamanlardaki ortak ve sevgiliye kefil olarak oraya buraya atılmıştı.

Sonra Kutsal Dul evlerden -pardon malikânelerden- birini satışa çıkardı. Yeni Alıcı, sevgilisi oluverdi. Anlaşılan Kutsal Dul ne zaman bir arazi/alım/satım/taahhüt işine girişse, o zaman bir sevgili sahibi oluveriyordu. Yani Kutsal Dul arzu edildiği kadar kutsal değildi. Aynı Kutsal Bestekâr'ın arzu edildiği kadar kutsal olmadığı gibi. Aynı tuhaf isimli çocuklarının kliplerde, reklam filmlerinde kötü kötü oynayarak pek de arzu ettiğimiz kadar Kutsal Emanetler olmadıklarını kanıtladıkları gibi.

Müteahhit Eski Sevgili yüzünden, ya da sadece fazlasıyla açılınmış bulunan rant avcılığının fazlasıyla dalgalı suları yüzünden, Kutsal Ev'e haciz memurları geliverdi. Kutsal Piyano bir kamyona yüklendiği gibi, evden götürülüverdi. Sabancı şerefine Devlet Tiyatrosu'nda sergilenen oyunda onun Baş Mabeyincisi olarak görüntülendiğinden beri, her ay başka bir alabildiğine tuhaf icraatıyla her nevi açıklamayı hak ve arzu eden Kültür Bakanımız Halis Toprak'a (borçlu oldukları bankanın sahibi olduğu için) telefon açıp Kutsal Piyanoyu geri rica etti. Nereye?

Kutsal Ev'de kimler yaşıyor? Orası Müze mi? Kutsal Dul o evde mi oturuyor yeni sevgilisiyle? Zaten yıllardır o evde oturmadığını zannediyorum.

Her ne hal ise... Çekirdek Kutsal Şehirli Aile'nin yaldızları fena döküldü. Böylesine yalanla çatılmış bir temsil, kaçıncı dakikasında iflas etti. Hay Allah! Riya Gemisi kayalara oturdu.

Güzelim Çekirdek Aile, bir naylon dolusu kabuk oldu. Kabuklar yere saçıldı. Kim süpürecek ki tüm bu kabukları?..

ELİT BİLMEMNE SÜBYAN LOOK

Birkaç ay önce keşfettiğim bir süpermarket var. Koridorları geniş, az insan alışveriş ediyor, hemen önünde taksiye biniliyor: benim için iyi bir alışveriş mekânı işte. Orda, geçenlerde, et reyonuna bakan türbanlı kız, şarküteri kısmının salam/sosis kısmına bakan gay çocuk ve şarküterinin peynir kısmına bakan aile babası, bir yandan sohbet edip, bir yandan benim siparişlerimi hazırlamaktaydılar. Böylece 'tatlı' sohbetlerine kulak misafiri oldum.

Gay çocuğun yeğeni o gece 'Elite Model Look'ta yarışıyormuş. Biletleri varmış, gidip seyredecekler yarışmayı. İlk üçe girerse yeğeni, "Düşünebiliyor musunuz: SUZUKİ," diyor. Demek bu Suzuki olayı çok mühim bir olay. Gerçi ilk üçe girmese dahi yırtmışmış yeğeni. Artık bir ajansa girermiş, gelsin mankenlik teklifleri, gitsin modellik teklifleri. "Bizi," diyor aile babası. "Nispet'e götürürsün ilk üçe girerse." Yok şuraya götürürüm/buraya götürürüm muhabbeti başlıyor. Şarküterinin salam/sosis kısmında gay çocuk, et reyonundaki türbanlı kız; peynirlere bakmakta olan aile babası: İşte diyorum, gelmiş, kaynaşmış, benzeşmiş ve benzetilmiş güzelim Türk halkı! İşte 12 Eylül ve akabinde başımıza musallat olan Özalizmin güzelim mahsulleri!

O yarışma iğrenç, iğrenç!

Tabii kimsenin o çocuğu, yeğenini, çocuğunu yarışmaya soktuğu için ana babasını kınamaması, ayıplamaması, yadırgamaması müthiş bir tekamül örneği. Böylesine olgun ruhlardan oluşan, aşkın bir toplum.

Yalnız tüm aşkınlık, Suzuki'ye kadar.

Özal sonrası bu güzelim toplumda, hakikaten herkesin dini imanı para. Onun için de, bu topraklara şeriat meriat gelmeyecek. Böyle bir tehlike yok.

Onun için de bu topraklarda, yılda beş bin doları, on bin doları bastırdığınız anda kansere neden olabilecek bir sürü 'yan' etki yaratabilen baz istasyonlarını, istediğiniz şuursuzun çatısına, yan duvarına, balkonuna çakabilirsiniz.

"BAZ İSTASYONU MU? O DA NESİ?"

Uyu canım. 4-5 yıl sonra, kansere ya da beyin tümörüne uyanırsın. Uyanırsın da, bundan en çok etkilenecek olan çocuğunun, başka çocukların böyle bir tercihi var mı peki?

Böyle bir TERCİH HAKKI tanınmış vaziyette mi? Baz istasyonlarının olası tehlikeleri insanlara duyuruldu mu? Bunu GSM operatörleri, "Ey ahali/Yoğurdum kanserojenli," diye yapamayacağına (yani adam gibi 30 metrenin üstünde istasyonları gayri meskûn alanlara kurmayanlar onlar, ettikleri acayip kârlardan birazını olsun 'yatırım' olarak yatırmayanlar onlar) göre, MEDYA yaptı mı bunu? Medya, paragöz bu Özal kalabalıklarına, sağlıklarının da bir değeri, bir ederi olduğunu, ortada evet maalesef, böyle bir risk olduğunu hatırlatıyor mu?

Her neyse, o gece biz de biraz baktık 'Elite Model Look'a kızımla. Tek kelimeyle: İğrençti.

Bu zavallı çocukları oraya, o saçma salak mayolarla, kılıklarla çıkarmaya annelerin, babaların vicdanları, yürekleri nasıl elverir?

Bir kere çocuk bunlar.

Cinayet işleseler, cezalarında '18 yaş indirimi' uygulanacak. Cezai ehliyetleri sınırlı daha.

Bu yaşlarda kız çocukları, o platformlarda 'model olucaz/para kazanıcaz' histerisiyle öyle teşhir edilmemeli.

Bu yarışma yapılmamalı!

Ama gönül isterdi ki RTÜK yüzünden değil. (Ki gerekçelerini okuyunca RTÜK'e hak vermemek elde değil.) Keşke çakı gibi feminist kızlar çıkıp o uyurgezer çocukların üstüne kumaşlar filan sarsalardı. Bu kız çocuğu teşhiri ve pazarlamasını protesto etselerdi. Bu uyurgezerleri kendilerine getirecek bir konuşma patlatsalardı. Keşke Türkan Şoray böylesine densiz bir 'organizasyonun' jürisinde yer almasaydı.

Zira bir anne olarak insanın o kızların, o haline içi sızlıyor. Hangi aklıselim sahibi anne kızını orda bir çift bacak, bir çift kol, meme, üstünde bir kafa toplamı olarak kendini beğendirmek üzre umutsuzca sırıtarak, kırıtırken izlemek ister? Hangi kız anası, kızının bu densiz işi yapabilmesi için (Suzukiler, paralar kazanabilmesi için) daha reşit olmadan kendini, etini pazarlamasını iftiharla seyredebilir?

Türk kukla tiyatroculuğunun, pardon televizyonculuğunun, enerjik yıldızı Meltem Cumbul'un yarışan kızları, sözümona ti'ye alan komiklik çabalamaları da cidden, felaketti.

Kendisi bu densiz yarışmada sunucu olmaya gönül indiriyorsa, o zavallı raşitik çocuklardan üstün olduğunu, onlarla ne biçim alay edebileceğini sakın ha, vehmetmesin.

Herkes bu oyunun içinde. Ve 'oyun' hakikaten mide bulandırıcı.

ÖLÜM'ÜN MAHREMİYETİ YERİNE PORNOGRAFİSİ

Karşı kaldırımdaki Ziraat Bankası'nı göstererek bir yaşlı amca, diğer bir yaşlı amcaya: "Bunların GÖREV ZARARI çok büyük," demekteydi.

Bugün. Öğle saatlerinde. Semtimde.

Mesele burada: Türkiye'de herkes 'ekonomiyle' çok alakadar. Herkes tüm ekonomik terimleri, sular seller gibi ezberlemiş vaziyette.

Görev bilinciyle kavrulan halkının, amatör ekonomist/yaman ekonomi yorumcusu kesildiği bu güzel ülkede: "Nerede nerede nerede/Ben NERDE YANLIŞ YAPTIM," şarkısını söylemesi gerekiyorsa birilerinin (ki fazlasıyla, gerekiyor) meseleye şuradan ilişmemiz gerekmiyor mu?

Ekonomi ile politikayı, ortadan bir karpuz gibi ikiye ayırmış bulunmamızda. (Muhayyilelerimizde.)

Ekonomisiyle politikasının bu denli girift bağlarla birbirinin içine girmiş olduğu bir ülke daha yeryüzünde, güçlükle bulunabilecekken; siyasi kararları bu denli isabetsiz, bu denli haksız, hukuksuz bir hükümete yüzde yüz bel bağlamış olmamızda.

'Hayata Dönüş' adını taktıkları seri cezaevi operasyonlarında 32 mahkûmun hayatını yitirmesine sebebiyet verebilen bir hükümetin, uygulayacağı 'istikrar' programı da bu kadar olur işte.

Meseleye bir 'bütün' olarak değil de EKONOMİSİNİ KURTARAN KAPTAN mantığıyla baktığımız sürece, her birimiz ne kadar amatör ekonomi profesörü kesilirsek kesilelim; bu ülkede huzur, refah, istikrar yüzü - göremeyeceğiz.

Pazartesi günkü gazetelerde (daha sonra da ana haber mönülerinde) kendine genişçe yer bulan bir üçüncü sayfa haberi, Zonguldaklı bir işadamıyla 21 yaşındaki sevgilisinin burunlarına çektikleri eroinden ölümlerine dair olan, haberdi.

Tamam. Üçüncü sayfa haberleri, böylesi haberlerden oluşmak durumunda. Ama çok talihsiz bir kazaya kurban gittikleri anlaşılan iki sevgiliyle ilgili öylesine ayrıntılar veriliyor ki haberde, insan 'EL İNSAF!' oluyor.

Ölümün bir de mahremiyeti olmalı, değil mi?

Üçüncü sayfa haberleri mantığının çok önemli bir fantezisi olan 'Kolejli Sevgili' bilgisiyle donatılıyoruz. Vefat eden zavallı genç kızın, mezuniyet kepiyle çekilmiş fotoğrafı (nerden ele geçirilmişse) gereksiz büyüklüklerde habire kullanılmakta.

Genç kızın, birlikte öldüğü evli sevgilisinin 'yönetici asistanı' olduğu iddiası yer alıyor birkaç gazetede.

Salı günkü Hürriyet'te ise kızın annesiyle birlikte Side'de yaşadığını (yani sevgilisinin asistanı olamayacağını) en yakın arkadaşından öğreniyoruz.

Bizi hiç de alakadar etmeyen, alakadar etmemesi gereken özel hayata dair bu tarz ayrıntılar bir yana, bu 'kazayla' ilgili (zira bence başlarına gelen bir uyuşturucu kazası) asıl iştahla üstünde durulan bambaşka 'nesneler'. Polisin odada yaptığı araştırmada odalarında, yalnızca onları ilgilendirecek gereçler bulunuyor. Bir başka haberde ise vefat eden işadamının 'otomobilindeki bir poşetin içinde' bulunduğu belirtiliyor.

Şimdi, iki insan böylesine talihsiz bir şekilde ölmüş gitmiş. Odalarında 'ele geçirilen' onların mahremiyetine ait eşyaların polis tarafından medyaya ilan edilmesi normal midir, hoş mudur, insani midir?

Diyelim polis, bunları medyaya ilan etmekten, hayatını yitirmiş iki bahtsız insanın, ayrıca 'neler neler yapıyor olmuş olabileceklerini' ifşa etmekten, sadistçe bir zevk alıyor. En azından medyanın, bu ölümlerle direkt hiçbir alakası olmayan bilgileri ballandıra ballandıra sayıp döküp bir nevi ölüm pornografisi yapmaması çok daha ahlaklı, basiretli, insani olmaz mıydı?

Bu, üçüncü sayfa haberlerinin 'işlediği' pek çok ölüm haberi için geçerli bir kaygı.

Bizi hiç de alakadar etmeyen, alakadar etmemesi gereken bir sürü ayrıntı, kimbilir sevdiklerini kaybetmenin acısıyla nasıl da yangın yerine dönmüş insanların daha da acıtılması, incitilmesi, üstüne mahçup edilmesi, utandırılması pahasına; önce polis sonra da medya tarafından umursamaz bir gammazlama şehvetiyle, ortalığa saçılıyor.

Bu döküp saçmanın gerisinde nasıl bir röntgencilik/teşhircilik/ölü tacirliği psikolojisi egemendir; ve varolduğu "varsayılan" bir talebi (yine röntgencilik) karşılamaktadır -bunlar kuşkusuz başlı başına bir (ya da birkaç) doktora tezi konusudur.

Ama Pazartesi geceki haberlerde, işadamının meşe, çam ya da her neyse tabutuna karşılık genç kızın kerestelerden çatılmış tabutu, tabutu almaya gelen özel arabaya yerleştirilmemesi, sonra da tabutun kimsenin almaması üzerine işadamının yakınlarınca bir otomobile yüklenip Zonguldak'a gönderilmesi... Şudur budur - bana hakikaten dokundu.

İşadamının karısının cenazeye gitmediğini öğrendik ertesi gün gazetelerden. Genç kızın annesinin de, kızının cenazesine sahip çıkmadığını.

Geride kalan her iki aile için de, uyuşturucudan ölmüş olmalarının, taraflardan birinin evli olmasının, aradaki yaş farkının: tüm bu 'bilgilerin' onları utandırıyor olmaları bir yana, ölülerin ve dahası yaşayan insanların mahremiyetini ve esasında onurunu gözetmenin, medyanın sorumluluk tanımlarıyla hiçbir ilgisi yok mudur peki?

LA BELLE INDIFFERENCE

Başlığı Prof. Dr. Orhan Öztürk'ün yayın sorumlusu olduğu 'Ruh Sağlığı ve Hastalıkları' kitabından aldım. HİSTERİK NEVROZ başlıklı yazı da, Orhan Öztürk'e ait. 'Histeri Nevrozunda Belirtiler' başlığı altında 6 madde sayıyor. 6. madde, evet tam altıncı madde şöyle:

VI) Özel Duygulanım (Affect) Bozuklukları

Güzel aldırmazlık (la belle indifference)

Aşırı duygululuk (aşırı gülmeler, ağlamalar)

İşte histerinin septomlarından biri bu: Duygulanım bozukluğu. Bu arada, histerik kişilik deyimi çok tartışmalı bir deyim olduğu için, DSM-III'te (1980'de) bu terim tümden atılarak, yerine 'histrionik kişilik' terimi kullanılmaya başlanmış vaziyette.

Oturmuş önyargılardan farklı olarak, histerik yani şimdiki daha doğru kullanımıyla histrionik kişilik, Prof. Öztürk tarafından şöyle tanımlanıyor:

"Çoğu, çekingen, duyarlı, başkalarının (anne, baba, eş) istek ve komutlarına uyan; ağır yaşam koşullarına uzun süre 'uysal uyum' yapabilen; duygu ve düşüncelerini dışa vuramayan; çocukluktan beri aile içinde özel yer ve sorumluluk yüklenmiş kişilerdir."

Lütfen lütfen lütfen, alın bu tanımı Türkiye'ye, Türk insanına uyarlayın: Histrionik kişiliğin bu tanımı en yalın çizgileriyle Türk insanını anlatmıyor mu?

Bence biz ağır bir affect (duygulanım) bozukluğundan mustaribiz. İster buna o güzel 'güzel aldırmazlık' etiketini koyalım, ister başka şey. Durum şu ki, "Bana dokunmayan YILAN bin yaşasın" haletiruhiyesine esir Türkler; ve hiç ama hiçbir yılan zaten onlara dokunamıyor. Zira derileri kalınlaşmış, kalpleri taşlaşmış, ruhları uçurumlaşmış.

Şu meşhuuuur 'Özgür Kız' reklamının yaratıklandırıcısı, Sabah Pazar Eki'ne konuşmuş: "Benim muhatabım sol entelektüeller değil" diyor. Evet. Tabii ki. Onun muhatabı reklamverenler. Paracıklarını, kartlara ödenen milyarlarla, misliyle geri alacak olan harikulade duyarsız reklamverenler ve bu reklamı çok çok beğendiği iddia edilen sokaktaki GÜZEL HALK. Halk çok beğenmiş. Öncelikle reklamveren çok beğenip bastırmış parayı, bu harikulade incelikli reklamı yaptırtmış. Sonra da halk çok beğenmiş: Kızı, parçayı, reklamı çok çok beğendiği için şakır şakır Hazır Kart alıyormuş.

E, daha ne?

Bu reklam her geçen gün katlanarak, daha çok sinirime gidiyor. En son, Özgür Kız hani, Kürt çocuğunu öyle Kürt Kürt, (hani karda yürürken çıkarılan ses) Türkçe konuşturuyor. Öyle sarılıp bir poz verir gibi. İşte Kürt çocuğuyla kaynaşmış. Çocuk,

Özgür Kızı taşlamıyor mesela. Abileriyle birlikte tecavüze yeltenmiyor. Özgür Kız, o boş boş topraklarda boş boş gezdikçe, bizim yüreğimize su serpiliyor.

Arzu ettiğimiz DOĞU bu değil midir? Öyle boş boş topraklarında, boş boş dolanalım? Öylesine 'boşşş' olsun ki kafamız, en mankafa seyyahın bile riayet ettiği 'Topraklarında gezdiğin insanların kılık kıyafetine mümkün olduğunca UYGUN GİYİN' kuralına dahi, riayet etmeyelim. Öyle hem zevksiz, hem densiz bir kolsuz bluz, memeler ortada, baldırlar gösterilerek, başta da bir kovboy şapkası: hele baştaki o şapka, hakikaten delirtici. Ama açıklıyor işte reklamın yaratıklandırıcısı: Bir arkadaşı demiş ki, bu şapkalar çok moda demiş, Madonna da takıyor şimdi, demiş. Doğru, Madonna son klibi olan 'Music'te kovboy şapkası takıyor. Sonra limuzinle diskoya gidiyor. Filan. Çok doğru. Hazır Kız da Kabuk Diyarlar'a giderken aynen öyle Madonna'nın taktığı ve moda ettiği gibi, kovboy şapkası taksın; dertli dertli ufka baksın.

Oralar Kabuk Topraklar. Bir Kabuk orası. İçi boş. İnsansız topraklar. Orda göz alabildiğine bir ıssızlık, uzanıyor. Adeta Arizona. Orda, o reklamda hani, o askerler var ya, "Nasılsın Ana?" diyen, hani Özgür Kız'ın Özgür Oğlan'ı cömertçe hazır kartlı cep telefonunu uzattı diye. Çok değil, daha çok yakın zamanda orda, tam oralarda o askerler ölüyordu. O askerler ölüyordu. Başka askerler ölüyordu. Türkler ve Kürtler, ölüyor öldürülüyordu...

Otuz bin kişinin kanıyla sulanmış topraklarda, böyle bir reklam filmi çekmeyi akıl etmek, dört dörtlük bir Çirkin Aldırmazlık örneği değilse, nedir?

"O topraklarda savaş olmasın istiyoruz." "O topraklarda kızlarımız özgür özgür, aval aval dolaşsın; yabancı aksanlı bir Türkçeyle şarkılarını söylesin istiyoruz." "Barışa inanan bizlerin, barışşş çorbasındaki azıcık tuzu da bu Hazır Kart reklamı olsun," diyorlarsa, ki diyorlardır, böyle bir savunma da hazır kartlanmıştır arka çeperlerinde: Yuh olsun diyorum.

Orda savaş oldu. PEKİ NEDEN OLDU SAVAŞ?.. O Kabuk Topraklar'da birileri yaşıyor demek ki? Neden kanlarını akıttılar? On küsur yıl hakiki bir İÇ savaş boşuna mı yapılır?

O savaş, boşuna mıydı?

Kalın kafalarınıza, kalın derilerinize bir mesajcık olsun, bir mesaj, bir laf, bir tek istek talep çığlık nüfuz etmedi mi? Bu ne çirkin bir aldırışsızlık? Bu ne ağır bir histeri hali? Ben, bu konuyu hafife alan, yok sayan, çarpıtıp çurputup dangalaklık panayırlarında meta haline getiren 'eserlere' de tahammül edemiyorum; Kabuk Diyarlar'daki boşluğunun sonu geleceğe benzemeyen Hazır Kız'a da.

'STUD' MI, 'FEYLEZOF' MU?

Kenan Evren isimli büyük Türk asker-düşünürün, memleketimize çekidüzen vermesiyle başlayıp kartopulanarak, bu mesuth günlerimize kadar uzanan ağır kültürsüzlüğü, ya da son sıralardaki nahoş adıyla Televole kültürünü, olanca hakikiliği ve şeffaflığıyla, ağzımız beş karış açık, izliyoruz son zamanlarda.

İnanın bana, bir akvaryum Biri Bizi Gözetliyor programı. Ve bu program nedeniyle kameralanmış o evdeki nice nice sınavdan geçirilip de seçilip konulmuş balıkları izlemek, iptila yaratıcı.

İnanılmaz çocuklar her biri. Onlara oy veren kitleler de, en az onlar kadar inanılmaz. Ben yaşadığım yoğun inanamama duygularını size şöyle özetleyeyim. İlk haftalar boyunca bütün

Türkiye (bölge bölge) mütemadiyen Melih'e oy verdiler. Ben de her Cumartesi oylama biter bitmez hakiki bir BBG uzmanı kesilen Elçin'i arayıp haykırdım: "Elçin, ne diye Melih'e oy veriyorlar ki bunlar?"

Sonra birden bölge bölge bütün Türkiye evin tatlı otoritesi Murat ağbiye oy vermeye başladı. Bu sefer ben: "Ya, ne diye oy verirler ki bu adama?" diye arar oldum Elçin'i.

Ama Türklerde marifet, basiret, isabet tükenmezdi. Bu sefer Eray'ı tercih etmeye başladılar tümen tümen. Ben iyice kudurdum. "Elçin! Niye allasen bu çocuğa oy veriyorlar ki?"

BBG dünyasına Ari olanlara durumu; DSP, ANAP ya da MHP'nin aldığı oylara panikle karışık şaşakalan birinin iç daralması, şeklinde özetleyebilirim.

Melih evin resmi stud'ı (aygırı); zira resimleniyor sürekli bizim için. Evin müsait kızları daha Türk örf ve ananelerinin sempatik bekçi ağbisi Murat tarafından elenmeden, Melih sürekli onlara dayıyordu.

O kötü kızlar Murat ağbi tarafından (RTÜK Abi de diyebiliriz ona) yollanınca evden, Melih'in performansı da haliyle düştü. Ancak grubun en yakışıklı ve larjj çocuğu o, ve internetli Türk kızları öbek öbek ona oy vermekteler.

Derken Murat işte; ki neşeliydi, sohbetine 'doyum' olmuyordu, evdeki dirlik ve düzen ondan soruluyordu, o ne derse o oluyordu; evin tüm gerilim, seks ve arbede unsurlarını elemesinin akabinde, en çok oyu ilk kez alan Eray tarafından, eleniverdi! Uzuuun, uzuuuun bir açıklansmaklamanın akabinde.

Eray, müthiş bir tip. Televole bantlarında filan, adı EVİN FİLOZOFU olarak geçiyor. Mesela evin hoş kızlarından Melike onunla yaptığı bir sohbetin ardından: "İnsan Eray'la konuşunca çok şey öğreniyor, kendini bambaşka hissediyor," diyerek hepimizi bir dehşet deryasına bambu bir salın üzerinde terk ederek, gemisiyle geçip gitmişti.

Çok katı, çok kompleksli, paranoyak temayülleri öyle böyle olmayan ve ağır boş, ağır cahil bir tip. Ama ağzı mütemadiyen laf yapıyor: SANKİ çok manalı laflar etmekte, ADETA bir derin düşünceler pınarı, milli değerlerimizin ALABİLDİĞİNE farkında, SANIRSIN düşüncelerinin içinde boğuldu boğulacak. Temel olarak, vahim iletişim sorunları yaşayan ve yaşatan, ağzından çıkanları (anında âşık olduğu için) kulağı duymayan, sürekli laf topaçlayarak insanlar arası her nevi gerçeklik ve samimiyet ihtimalini imkânsız kılan bir tip.

Çok çok çok kötü bir taklit. Cem Yılmaz'ın ses tonuyla konuşuyor. İnsana Deniz Baykal'ı, Cem Karaca'yı, Bedri Baykam'ı, Devlet Bahçeli'yi, Mustafa Sandal'ı, Barış Manço'yu ve daha bir sürü bir sürü büyük Türk feylezofunu hatırlatıyor. Hepsinden bir şeycikler kapmış. Gerçek bir kulak dolmacısı. Ama laflarının hiçbir MANASI yok. Bu tabii ki, habire konuşmasına mütemadiyen laf topaçlamasına engel değil. Aksine işte bu programa oylarını yollayan yığınlar tarafından bir nevi AKİL ADAM, ruhi bilirkişi, sallama feylezof, hayat dersleri ve ciddiyetleri öğretmenciği olarak kabul ediliyor. Beğeni topluyor top top.

Ekip, inanılmaz yani.

En çok oyu son zamanlarda habire Eray aldığı için ve kısa kollu, apoletli gömlekleri, taş ütülü pantolonları, o inanılmaz sınıf birincisi çocuk haliyle; epeyce sinirime gittiği için, onun üstünde yoğunlaştım. Yoksa kızlı, erkekli programa katılanlar; insanın içini, Evren'in Büyük Kültür Devrimi konusunda ne denli başarılı olduğunu kanıtlayarak, hepten karartıyorlar, daraltıyorlar; şahsı mahvediyorlar.

İşte BBG evinde 'acımasız' ve fakat 'medeni' bir çekişmeyle, her hafta BÜYÜK FİNAL'e biraz daha yaklaşılıyor. Stud mu kazanacak bu 'zorlu' yarışı, Türk feylezofu mu? Ne stud stud, ne feylezof felsefesinin fe'sinin yamacından geçmiş. Aynı Türkiye gibi. Her şey, hiçbir şey. Hiçbir şey de öyle. O da: HİÇ.BİR.ŞEY.

BİR AŞK BİN DÜŞÜNCE

Köşecilikten alabildiğine sıkıldığım bu günlerde, sabah sabah: "Bu işi 20 yıl yapanlar, 25 yıl-30 yıl sıkılmadan etmeden, normal midir yani onlar?" diye düşündüm. Böyle kronik bir köşecilik, yazıcılık hali. Günün mönüsüne bakıp, hepimizin akıl ettiği şeyleri, hatta aklımızdan geçmesi muhtemellerin en vasatisini, şöyle bir topaçlama... ve ömrü billah bu işle iştigal etme. Sıkılmama, etmeme. Normal midir? Şevkle ve azimle, köşeyi doldurmaca.

Ben de köşemi neyle dolduravım böyle normalinden diye düşünürken işte, şöyle bir yazı tasarladım:

"Sn. Yılmaz (Mesut Yılmaz kast ediliyor) DGM'ler kapatılsın derken ne demek istediğimizi tam anlamıyla gördünüz mü şimdi? Hak, hukuk hepimize lazım. Askeri idarelerden miras mahkemelerin, tüm dokumuza serseri mayınlar gibi döşenmişliğine işte şimdi, bizzat şahit oldunuz: Bu savcıların ve kararlarının artık ne zaman kimin topraklarında patlayacağının, ne menem belirsizleştiğini en nihayet gördünüz. Ekonominin Kemal Derviş'inden peki, bir adet de demokrasimize gerekmiyor mu?" filan felan.

Sanki, Mesuth Yılmaz demokrasimizin Kemal Derviş'i olmaya acayip niyetliydi de; beş yıldır, on yıldır, on beş yıldır elleri basiret bağlılığından armut topluyordu.

Ölüm oruçlarını nihayete erdiremeyen bir hükümetin, özelleştirmesinden güzelleştirmesinden ne kadar hayır gelebilir ki? Vs. vs. vs.

Köşe kapmaca mevzumuz bu olabilirdi yani. Ama bu, olmayacak. (Buyrun bakalım.)

Ana haberlerin birinde (sanırım bizzat Şov Haber'de) Reha Muhtar-Nilüfer aşkının ilanını izledim izleyeli, bu konu aklımdan çıkmıyor. 'Bana kiminle birlikte olduğunu söyle, sana kim olduğunu söyleyeyim' meselesi, iyice çetrefilleşti. Çakmak ya da anahtarlığa bakarak karakter tahlilini yeğlerim yani.

Şimdi Atina semalarında bilinmez bir muhabirken (ben o günlerini hiç müşahede edememiştim) gelip medyacılığımızın orta yerinde patlayan Reha Muhtar'ın birlikte olduğu (yani bizim bildiğimiz) 3 kadına bakalım önce. Harika Avcı. Mehveş Emeç. Nilüfer.

Üçünün ortak yanları var mı? Evet! Üçü de müzikle alakalı. Biri kötü bir Türk sanat musikisi yorumcusu ve fakat enteresan bir kadın. İkincisi kötü bir klasikçi ve nedense iddialı bir kadın. Üçüncüsü iyi popçu ve enteresan bir kadın. Burda şu parantezi açayım: Ben Nilüfer'in yere göğe sığdırılamayan yorumculuğundan hiçbir zaman hazzetmedim. Ne o tarz 'güzel' seslere düşkünüm, ne Kayahan bestelerine, ne de o tarz 'güçlü' yorumlara.

Biliyorsunuz koyu bir Ajda'cıyım ben. Ajda parçalarını çok serin söylüyor. Onun epeyce ardından da, yine serin serin okuyan Yeşim Salkım'ı beğeniyorum; o kadar. Ama pek takdir edilir söylemeciliğiyle Nilüfer. Ben onu anneli, kedili asude yaşamına evlat edindiği bir bebeği katabildiği, anneliğin böylesinin (Türklerde görülmediği üzre) mümkün olabildiğini gösterdiği için, acayip takdir etmiştim. Derken başımıza bu çok düşündürücü Reha Muhtar meselesini çıkardı.

Hürriyet yazarı Pakize Suda hiç şaşırmamış. Reha Muhtar kadın ruhundan çok iyi anlarmış.

Ben bu kadın ruhundan çok iyi anlayan kadın virtüözü erkek meselesinden hiç anlamam. Ortalıkta acayip prim yapan birkaç ağır popüler örneği var, içimi bulandırıyorlar. Ağır bir sıkıntı bulantıyla kartopulanmış, öyle bir 'anında hissiyat topulanması' yaratıyor bu çok satmalı tipler bende. Yani, o janrı geçelim.

Bir kere, gel de Reha Muhtar'ı takdir etme. Kadın seçimini hayranlıkla izleme. O tarz pozisyon sahibi adamlar: çapaadamlar, medya baronları, genel yöneticiler filan yarı yaşlarındaki yavrucakları kollarına memebacak sepeti olarak takıp ya da gardıroplarında saklayıp öyle 'yaşıyorlar' biliyorsunuz.

Şimdi Türkiye'nin dünya yüzünde erkeklerde görülen 'castration anxiety' (hadımlık endişesi) katsayısının en yüksek gözlemlendiği ülkelerden biri olduğu ortada. Sünnet yaşının alabildiğine tehlikeli (9 ila 12 ya da 3 ila 5) dönemlere denk getirilmesi, annelerin güçlü ve hadım edici karakter özellikleri, manasız ve acımasız ve fakat beyhude erkeklik vurgulamaları şudur budur; bu topraklar tüm Freud'çular için Hadımlık Endişesi'nin anavatanlarındandır. Uyan da pazara gidelim ey okur!

Reha Muhtar'ın art arda bu denli güçlü, iddialı, komplike kadınlar tercih edebiliyor olması, hakikaten gözyaşartıcıdır.

Gidip kendinden üç-dört yaş büyük, estetiksiz mestetiksiz,

ufak tefek, evine kapalı, şahsiyet ve mahremiyet kumkuması Nilüfer'i seç kendine âşık olarak. E tabii kayda değer. Ve affedersiniz ama, takdir edilesi.

Tabii, eleştirel düdük okur portresi icabı: 'Peki ya Nilüfer?' diyeceksiniz. 'Onun tercihi neyle alakalı?' Ben aklımı peynir ekmekle yemedim. Öylesi tehlikeli sulara giremem. Türk kadınının karanlıklarına inemem. Bir yemin ettim, dönemem.

MUTLAK YAZARLIK

Mutlak yazarlık böyle bir şey işte. Mutlak bir yalnızlık.

Keşişlik

Hapisss.

Kendini, kendi içine hapsetme hali.

Tercihen, bomboş bir odada. Tercihen, böyle kocaman bir cam açılsın önünde ve camdan hep aynı deniz gözüksün.

Üstünden hiçbir şey geçmeyen bir deniz.

Deniz kenarının o insanı mayıştıran: çocuk çığlıkları, uzak konuşmalar, yakın konuşmalar; o her şeyin yolunda gittiğine dair tatlı sesler toplamı, kulaklarını gagalamasın.

Mutlak sessizlik. Tercihimdir.

Resimde, tahta bankının üstüne oturmuş, tahta masasında

-tam önünde- duran daktilosuyla YAZAN, ciddi Amerikalı yazarın adı: E.B. White.

Maine'de 1976'da çekilmiş.

Koca bir çöp fıçısı; küçük bir küllük, pencereye dayalı iki nesne daha masada - O KADAR.

Bu kartpostalı görünce içim titredi. Titredi içim.

Öyle bir odaya kapanmak, öyle bir odaya kapanma şansına, hakkına, lüksüne sahip olmak ve içimi kırbaçlayarak günde en az üç saat - dört saat (bunları yazarken dahi bambaşka güzel bir korkuyla burkuluyor içim) yazıyor, dıgıdık dıgıdık: dört nala, yazıyor olmak istedim.

İşte gözlerimi üstüne değdirdim değdireli, benim olan bu resim, kitabımda şimdi. Çok ciddi bir temenni.

Yazmış olanlar bilir.

Yazmanın ne menem ZORR olduğunu. İnsanı nasıl didiklediğini, dittiğini, nasıl yiyip bitirdiğini.

İş çıkmayan günlerin azabını.

Kötü iş çıkan günlerin müteredditliğini.

İyi iş çıkan günlerin kabarıklığını, köpüklü coşkusunu, çocuksu sevincini.

Ama en ağırı: işe, yazıya yani, bıraktığın yere, son cümlenin son noktasının başına oturmanın güçlüğünü.

Kendinle ne pazarlıklar etmen gerektiğini. Nasıl zorlaman. Nasıl iteklemen. Yalvarman. Emir vermen. Ve, o korkunç suçluluk duygusunu. Seni kemiren. Her yerde her daim kemiren.

Böyle bir şeyler.

E.B. White hiç okumadığım bir yazar.

Bir makaleciymiş. Çok mühim bir makaleci. The New Yorker'da parlamış. Makalelere getirdiği kişisel ve gayriresmi üslûpla, patlamış. Şudur budur.

Makale ve öykülerinden oluşan kitapları varmış.

Umrumda değil!

Hiçbir makaleci; ve öykücülerin pek çoğu, umrumda değil: Gazete ve dergi dışında, yani gündelik olanın dışında; değil.

Makale yazmak başka bir şey. Yazıyorsun. Bitiyor.

Ama roman! Ama romanın o aylarca, yıllarca süren işkencesi.

Kendi kendine uyguladığın Çin işkencesi.

Her gün oynadığın Rus ruleti.

Bitmeyen. Roman bitinceye kadar yani, tükenmeyen.

Seni sistematik olarak tüketen ve yeniden dolduran.

Boşaltan ve hiç ummadığın derinlerden su yüzüne sıçratan.

Şimdi makalelerden oluşan bu kitabın (kitabımın?) son yazısında, makalenin boşluğunu ilan edip romancılığı övmem tuhaf tabii.

Olabilir ey okur!

Ben kendimi o korkunç ve ağır sınava sokmayı, uzun soluklu koşmayı, kendimle mütemadiyen baş başa kalmayı özledim.

Roman yazarken girilen o ağır çilekeşliği, keşişliği, dindarlığı. Kendi kendimi.

Çok "görüşüyorum." Çok görüşüyoruz.

Ahir zamanlarda hayat modelleri çok sosyal.

Çok dağınık. Çok dağıtıcı. Sermayeden yedirici.

Roman yazmanın ürpertici güzelliği bir yana, kendi kendini dövmenin o tuhaf eziyeti; ben romanla birlikte, roman yüzünden, roman yazarken kendi kendime kilitlenmeyi özledim.

Hakikaten.

Bu kitabı da, oturup yazmaya başlayacağım romanın sözüyle bitiriyorum işte.

Utanıp sıkıldım bu son cümleyi yazarken. Bir de âşık olduğumuz birini görünce, onunla konuşunca filan duyulan heyecandan bir baş dönmesi, mide dönmesi kapladı içimi.

Bahsetmek bile güzel. Aşktan da güzel.

Aşktan da üstün.

Böyle bir şeyler.

PLAJLARIMIZDA ERKEK VARLIĞI

Yurdumuz erkeklerinin plajlarımızda bir haftadan uzun süreyle gözükmelerinin KHK'yla yasaklanmasını ve çarçabuk hazırlanan bu kararnamenin derhal Sayın Cumhurbaşkanımız tarafından imzalanarak, yürürlüğe konulmasını talep ediyorum. Tasvip etmiyorum!

'Plaj Biti' tabir edebileceğim birtakım erkekler haftalardır, aylardır güneşleniyorlar, denize giriyorlar, dolanıyorlar, geviş getiriyorlar: Genel olarak plaj civarındalar ve inanın hiç hoş değil. Hiç!

Ben burda hızımı kesmeden şunu belirteyim, karılarıyla, sevgilileriyle alışverişe, kadın dükkânlarına giden erkeklerden de tiksiniyorum!

Kadınlar 'soyunma kabini' tabir edilen işkence odalarında giyinip giyinip ortalığa çıkıyor; 'erkeklerinden' onay bekliyorlar: Onu mu alsınlar, bunu mu alsınlar? Ya ne anlar erkekler neyin alınmasının iyi olduğundan? Hani gay bir arkadaşınla gidebilirsin. Ya da şunu da kabul edebilirim (hani 'esnek köşe yazarı' havası yaratabilmek için) Türk filmlerinde klasik sahnelerden biridir: Türkan Şoray filan yeniden yaratılırken, bir köylü kızı ya da sekreter 'parçasıyken' 'Tapılacak Kadın'a dönüştürülürken, hami erkeği tarafından acımasızca şık ve pahalı bir butiğe götürülüp onlarca kıyafet giymesine müsamaha gösterilir. Ki kıyafetlerden beğenilenler için Mentor (Hami'nin alafrangası) başını öne doğru, tasvip edilmeyenler için iki yana doğru sallar. Yakın zamanda sinemalarımızda oynayan Fransızların 'Köprüdeki Kız' filminde de AYNEN böyle bir sahne vardı. Mirkelam'ın pantolonlarından giyen Müthiş Bıçak Atıcısı (Daniel Auteuil oynuyor) kızın kıyafetlerine bakıp karara varıyordu. Tek bir farkla: uzandığı kanepeye saygısızca ayaklarını uzatarak! Rezalet! (Bunu da tasvip etmiyorum.)

Evet öyle bir Hami Adamsan, ya da zevk sahibi Gay Bir Adamsan git alışverişe, görüş bildir. Bu iki tip erkeğin plajda aylar geçirmesinde de hiçbir sakınca yok ayrıca. Ama bildiğimiz Sıradan Türk Heteroseksüel Erkeği'nin (bundan sonrası STHE olarak geçecektir) ne plajlarda durumu oluyor, ne alışverişlerde. Durumu, durum olmuyor yani.

Kimi zaman tıkış tıkış mağazalarda fuzuli erkek figürlerini gördükçe, sinirleniyorum ben haklı olarak. Şeyi de hiç anlamıyorum, çamaşır reyonundaki refakatçi erkekleri. Erkek dediğin kendi çamaşırını da kendisi satın almaz, kadın çamaşırı mezvuuna hiç damlamaz. O yılbaşı, yıldönümü hediyesi kediciğine seksi iç çamaşırı hediye alan erkek klişesi filan! Yanıltıcıdır, olmaması gerekir, olmamalıdır ve dahası KHK'yle bu da ivedilikle (Meclis'e yollama riskine filan dalınmadan) yasaklanmalıdır.

Öyle acayip kararmış, yani güneşin altında yuvalanma egzersizlerini ayyuka çıkarmış erkekleri görünce, "Seni gidi zibidi adam! İşin gücün yok mu hiç senin!" oluyorum.

Erkek dediğin, yılda bir hafta tatil yapar. Onda da habire uyur, uyanıp domates soslu patlıcan kızartması yer, rakı içer ve yine uyur. Budur erkekliğin tabiatı ve dahi yakışanı.

Ahmet Necdet Sezer'in 'sivil' bir arabaya atladığı gibi soluğu Huber Köşkü'nde almasını da, takdirle karşıladım. Aşırı püritenliğine halel gelmesin diye (ben şimdi Köşk'ü kirletmeyeyim, temizlik malzemesi harcatmayayım), Akçay'a, Foça'ya filan gitmesinden korkuyordum. Şahsiyetli bir cumhurbaşkanı 'Türk tipi demokrasiye' kaç numara bol ya da dar gelecek, ibretle izleyeceğiz bakalım.

Bu arada yazıyı ölümsüz, şahane grup REM'in 'UP' albümünün eşliğinde yazıyorum. Onun için de çok sıçramalı yazmış olabilirim yani. Geçenlerde İstiklal Caddesi'nde gelmiş geçmiş şarkıların en şarkılarından olan 'Losing My Religion'ın (Senin İçin Dinden İmandan Çıkarım) senfonik bir 'remake'ini (yeniden edilme) dinledim. Yol boyunca. Bu CD'de Lotus, Hope, bi de 'I'm Sorry/Soo Sorry' diye giden parçalar favorilerim. Ben bazı satırlara takarım çok beğenip, Hope'da 'The intern was a mess' satırına bayılıyorum mesela.

You want to go out Friday.
You want to go forever.

Bahtiyar kalın. Habire "dışarı" çıkmayın. Bozulursunuz. Riske atılmayın.

ALTAN BABA'NIN YERİ'NDE

Altan Baba, haftanın esracengiz bir gecesi ille de dostlarını Yeri'nde ağırlamayı, şiar edindi. Şiar miar bir yana, Altan Baba her zaman Yeri'nde dostlarına bir yer açmayı boynunun borcu bildi. Mana yoksunu paralı güruhların istilası altında inlerken dahi Yeri, önünde hep dostları olsun, ara ara onları görsün, istek parçalarına taviz versin; bu haysiyetli çizgisinden öldür Allah, vazgeçmedi.

Ve şimdi bu Dostlar Yerimde Görsün gecelerden birinde, Altan Baba kapıdan içeri girdi. Bodrum güneşiyle yanmış, altına deri bir pantolon çekmiş, Allah için pek güzeldi. Sofraya geçildiğinde mesela, içimizden biri:

"Burda şöyle minik minik şeyler olsun da onlardan yiyelim

istiyorum. Yok bunlar mönüde," deyince, "Ulan! 2 yıldır buraya geliyorsun. Niye daha önce söylemedin?" diye gürledi. Öyle gürül gürül bir tabiatı var Altan Baba'nın ve müzik takımının önüne geçince harikalar yaratıyor. Ben bu müzik sıralama işinin nasıl bir ağırlık taşıdığını hissederdim de, dile fikre getiremezdim Altan Baba'nın konu üstündeki inanılmaz yeteneğini antropologlamadan önce. Şimdi diyorum, bu da Allah vergisi bir yetenektir ve vermeyince Mabut, neylesin Mahmut kategorisinde değerlendirilmesi gerekir.

Gece, ilerlemekteydi. Altan Baba'nın ben, bir kez bile, BİRRR KEZ BİLE bizi Orhan Gencebay'sız koduğuna şahit olmadım. Bu özel gecelemede de öyle oldu. Önce Altan Baba çok çok çok çok uzun bir intro çekti. Makinelerle oynuyor filan. Böyle uzatıyor kısaltıyor kesiyor biçiyor. Makaseller'in çimlerle, buzlarla yaptığı gibi. İntroyu öyle bir uzattı ki, intro introluğuyla tenakuza düşme hallerine düştü. İntro uzadı uzadı, tam canımıza tak etmişti ki, THE KONUŞMA başladı. Orhan Baba'nın THE KONUŞMASI.

Orhan Gencebay Klasikleri CD'sinin açılış THE KONUŞMASI noktası ve virgülüyle aynen şöyle:

Sevgili Gönül Dostlarım,

Ben Orhan Gencebay. Yıllardır size seslenen, dertlerinizi, acılarınızı sizlerle paylaşan, sizlerle ağlayıp sizlerle gülen, alkışlarınızla, ilginizle büyüyen Orhan Gencebay.

Sizlerden aldığım güçle yaptığım bestelerim kiminizin gençliğine, kiminizin doğup büyümesine ve yaşamına eşlik edebildiyse, bundan büyük onur ve gurur duyarım. Sizlere şükranlarımı sunuyorum.

Anılarınıza kattığınız bestelerim, artık benim değil; sizlerindir.

Sevgili dostlarım, şimdi şöyle eskilere giderek 970'lerde yaptığım bir bestemle, saz arkadaşlarım eşliğinde albümüme başlamak istiyorum.

ARKADAŞLAR! HAZIR MISINIZ?

Daha güzel, daha mutlu, daha adil sevgi dolu bir dünya için, barış için, insanlık için: BATSIN BU DÜNYA.

Bu konuşmanın akabinde Orhan Gencebay'ın hepimize vaat ettiği üzre, bizlerden sakınmadığı üzre, sazlar olaya giriyor ve Batsın Bu Dünya başlıyor ki, bu parça daha girişinde tüylerimizi diken diken edip bizi bir his fırtınasının orta yerinde, tek kürekle bırakıp gidiyor. Batsın Bu Dünya bestesine, duygusuz kalanlar, sözlerini haykırmaya başlamayanlar, gelmiş geçmiş Türk parçalarının en harbilerinden, en kıymetlilerinden, en şahanelerinden olan bu şarkıya, kayıtsız kalabilenler var ise, dünya böyle bir yaratık yaratıkladı ise; derhal bu yazının topraklarını terk etsinler.

Altan Baba, Orhan Baba'nın bu ölümötesi parçasını bangırdatıyor. Biz Orhan Baba'nın ebedi serinliğine arıza teşkil edercesine, yürekten sözlerini haykırıyoruz. Orhan Baba gelmiş geçmiş söz virtüözlerimizin en büyüklerinden, en hakikilerinden biridir. Altan Baba'ya dünyamızdan bu ışığı eksik etmeyip Yeri'nde bizi Orhan Baba'sız bırakmadığı için müteşekkiriz. Kalp Adamı Orhan Gencebay bir filminde Samsun'dan bir motora atlar ve İstanbul'a kadar krem rengi pardösüsü sırtında, duruşundan bir dirhem taviz vermeden ayakta gelir. Orhan Baba, bugüne dek, duruşundan asla taviz vermemiştir.

Mahmut'ların asla kıvıramayacağı türden, hakikatli ve ağırlıklı sözleriyle de, satırlarımıza SON veririz.

Yazıklar yazıklar olsun, kaderin böylesine yazıklar olsun
Her şey karanlık nerde insanlık
Kula kulluk edene yazıklar olsun!
Ben ne yaptım kader sana
Mahkûm ettin beni bana
Her nefeste bir sitem var, şikâyetim yaradana
Şaşıran sen mi, yoksa ben miyim, bilemedim

Öyle bir dert verdin ki, kendime gelemedim
Çıkmaz bir sokaktayım, yolumu bulamadım
Ooof. Of. Of. Of. Of. Of. Of.

KAVRAMA ÖZÜRLÜLER ENSTİTÜSÜ

Bazen düşünüyorum: "Mahsus mu kıçından anlamış gibi yapıyorlar; hakikaten mi hiçbir şeyi, doğru dürüst anlamıyorlar, kavrayamıyorlar," diye. Diye.

Kavrama! Bu büyük bir eksiklik. Söylenileni, AYNI DİLİ KONUŞUYORUZ, AYNI DİLİ Mİ KONUŞUYORUZ: Ya, ben ne dedim, o neden bahsediyor, dediklerimin çarpuk çurpuk flu bir kopyası mı onun elindeki, hayır dediklerimi çok açık seçik dedim, yazılı ifade ettim, bak yazı orda duruyor, ne dediğim yani ne yazdığım kabak gibi ortada, peki ne anlamış, yani neden anlamamış, neden böylesine kıçından anlayıp, böylesine çarpıtmış, şimdi ne desem boş, ne desem yine anlamayacak dinlemeyecek, söylemek istediğini: o günkü mönüsü ne ise söyleyecek.

Tabldot! Tabldot! Tabldot Adam. Tabldot Kadın. Ne desem dinlemeyecek. Duymayacak. Yalnızca DUYMAK İSTEDİĞİNİ – o kadarını yalnızca, bu ne inat, bu ne ısrar, o zaman dinlemeyeceğim desin, yok saysın, dinlemiş GİBİ, okumuş GİBİ, anlamış GİBİ yapmasın. Zor değil ayrıca söylenenleri anlamak. Aynı dili konuşuyoruz.

Aynı dili konuşuyoruz.

Aynı dili mi konuşuyoruz?

Dil özürlü. Dil engelli.

Dil engeli var aramızda. Zira benim dilim, başka bir dil.

Onunki bir nevi katarakt. Bir perde. Dil perdesi. Kendini haklı çıkarmaya yönelik. Doğru çıkarmaya. Çıkarmaya.

Tamam ne dediğimi duysun, anlasın, işitsin önce; sonra dediklerime KARŞILIK, tamam işte, karşı görüş bildirsin. Ama demediğim, kast etmediğim, teğet geçmediğim şeyler üstünden beni cevaplarsa, ben ona NE DİYEBİLİRİM? NE? NE?

Fikir varsa, hakaret de olabilir. Küfür de.

Olabilir yani. Çatmışsındır çatıyı. Bir bina vardır yani bir fikir, yani BİR ŞEY söylüyorsundur. BİR ADET şey. Onu acımasızca da söyleyebilirsin, kibarca da. Bu senin üslubuna kalmış. Ama söylediğin BİR ŞEY YOKSA, hiçbir şey yoksa, bir şeycikler söylemiyorsa...

Hani entelektüel kapasitesi gelişmemiştir tam ya, çocuğun, çocukların hani, hani bir laf edersin, bir şey söylersin, çocuk tıkanır kalır ya karşında, çocuk işte, durur durur ve patlar ya ağlamaklı.

BİLMEMNE ÇOCUĞU! diye.

Öyle işte. Ya, bu küfürü basma durumu. Ama fikir yok içinde. Salt bir küfrü basma durumu. Ya da AKIM derken sen, demişken, kast etmişken, belirtmişken, yazmışken; karşına dikilip BOKUM demesi, demeleri.

Bu çok tuhaf. Çok acıklı. Her türlü iletişim yolunu tıkayıcı. Dinamitleyici.

Çok yaygın. Çooook.

Bu topraklarda. Bu basında. Bu baskında.

Ne kadar kavrama özürlü varsa, toplayıp bir memleketin Yazı Ordusu mu etmişler, diye düşünüyor insan.

Kavrama Özürlü Kalabalıklar, yazarlarının yazdıklarıyla özdeşleşebilsinler, "A! bak tam da benim gibi ANLAMIŞ" desinler, diyebilsinler diye cımbızla seçip ennn kavrama özürlüleri, bir milletin Basın Ordusu mu oluşturulmuş acaba!

Entelliboş! Gentel! Şeriatçı! Tu kaka!

Düzey bu. Buna hakaret de demezler.

Peynir ekmek yemezler. Fikir yok, fikir.

Nerde fikir? İki ekmek arası peyniri unutursan o sandviç olmaz işte, o, bildiğimiz kuru ekmek olur. Tamam. Kuru ekmek olsun. Ama yaptığını ısrarla ve inatla sandviç zannediyorsan, peyniri, yani fikri de koydum, fikir içindeydi, yerleştirdim içine diyorsan, aç bak yok peynir, yok yani fikir, böylesine bir kavrama özürlülük var mı peki cihanda?

Belki Guatemala Basını'nda da vardır. Belki orda da ne kadar kafasıbasmaz, çakaralmaz adam kadın varsa, toplayıp bir Kafasıbasmaz Kardeşler Menfaat Birliği oluşturmuşlardır. Belki, dünyanın başka yerlerinde de aynı dili konuştukları halde, aynı dili konuşamayan insanlar ordusu vardır.

Guatemala'ya haksızlık etmeyelim.

Burası, bu konuda eşsiz, benzersiz.

"Ben, Londra Hayvanat Bahçesi'ndeyken..."

Ya ne alakası var senin Londra'da olmanla, hayvanat bahçesinde olmanla mevzuun. Üstelik ne Londra'yı, ne hayvanat bahçenizi konumuza bağlayacaksın. Biliyorum. Şempanzeler dünyasından bir örnekle, sadede gelmeyeceksin. Konumuza bir katkıda bulunmayacaksın. "Londra'da Hayvanat Bahçesi'ndeyken..." diye girdin; zira beni dinlemedin. Zira konuya sadakat seni ilgilendirmiyor.

1) Sabah kravatını takarken, Londra'daki ANIN aklına geldi. Bunu anlatmanın pek hoş kaçacağını düşündün.

2) Habire "Londra'da Hayvanat Bahçesi'ndeyken" olanı anlatıyorsun. Habire bunu anlatıyorsun zaten. Konu neydi? Neydi? Hatırlıyor musun? Unutmadın. Zira duymadın bile. Anlamadın.

RUH KATARAKTI

Böyle bir durum var. Benim 'ruh kataraktı' adını taktığım bir durum. Ruhunun gözüne bir perde iniyor. Öylesine güçlü bir perde ki inen, ne yapsan, ne etsen (hoş zaten bir şey yaptığın da yok) gerçekleri göremiyorsun. Görmek istediğin de ruhunun gözünü kaplayan o kapkalın perde.

Hiç aralık bırakmadığın. Hiç asılı olduğu yerden indirip yıkamaya filan, teşebbüs etmediğin.

Bir ameliyatla yok etmeye kalkmadığın.

O perde bir zaruret senin için. Koruyucu kollayıcı bir koza. İçine girip bir ileri, bir geri sallanarak kendini yatıştırdığın bir beşik. Ağzına habire sokup çıkararak lime lime ettiğin, arada bir yanağına dayayıp üstüne çektiğin bir battaniye. Bebeklerin olur ya, bir güvenlik battaniyesi. Kendilerini nerde olurlarsa olsunlar, avuçlarında battaniyelerinin sıktıkları uçları varsa, tamamlanmış hissettikleri. Kendi yerlerinde hissettikleri. Bir mühim güvenlik kalkanı. Tamamiyle onlara ait olan, onların parçası haline dönüşmüş olan, esasında saçma bir 'şey'.

İlişkilerde, özellikle aşk meşk ilişkilerinde, ya da daha gerçekçi bir tanımlamayla, zamanında aşk meşk ruhuyla başlayıp daha sonra içinden çıkılmaz bir yün yumağına dönüşmüş ikili beraberliklerde, her daim ilgiyle, hayretle ve dahası dehşetle izlediğim bir nevi rahatsızlık bu, RUH KATARAKTI.

Özellikle çiftlerden birinin ruhuna iniyor. Daha ihtiyaçlar içinde olana. Ne pahasına olursa olsun ilişkiden vazgeçmeye niyeti olmayana. Kendisi pahasına ilişkiye dişlerini, tırnaklarını geçirene. Öldür Allah, bizzat kendisini yiyip bitirmekte olan bu ilişkiyi tahliye etmeye asla niyeti olmayana.

Bakıyor. Ama görmüyor.

Görüyor da, perdeyi. Hakikatleri görmüyor.

Artık sevilmediğini, diyelim. İnsan yerine konmadığını. Umursanmadığını. İdare edildiğini, katlanıldığını. Hakiki anlamda asla, istenmediğini. Eskimiş ve ayağın en rahat ettiği bir çift potin ne ise onun da ilişkinin diğer tarafı için aynı bu olduğunu. Sıktığını. Bezdirdiğini. Bir alışkanlık, bir tembellik hissinden başka bir şey olmadığını. Harekete geçmeye üşenen ve hiçbir risk almak istemeyen taraf tarafından, öyle bir köşede miskince unutulduğunu; ama tutulduğunu.

Ruhuna katarakt inmiş taraf, tüm bunları -eşek değil ya- için için için duyuyor. Ama asla GÖRMÜYOR. Ve en güzeli: YÜZLEMİYOR.

Bazı talî konuları evet, bazı saçma sapan periferik meseleleri gündeme getirip birtakım huysuzluk egzersizlerine girişebiliyor. Ama meselenin özü, yani beraberliğin almış olduğu hal, asla ama asla bu perdelerin üstünde oynatılmıyor.

Hayır! Asla! Çok tehlikeli.

Olamaz. YA BİTERSE İLİŞKİ?

Bunu telaffuz dahi etmek istemez. Dualarla savuşturur. Hayır! Ruh kataraktı bunun için inmiş vaziyette. Bu tehlikeli bölgeye girip tehlikeli dönemeçler almamak için.

Bana bu nazik, nazik olduğu kadar da izleyeni bezdirici ve ruhen böğürtücü mevzuya dalma hissini, Hürriyet gazetesinde okuduğum harikulade enteresan bir haber verdi.

Avustralya'da Walter Chesterson adında bir çiftçi karısını defalarca öldürmeye çalışıyor. Maksadı hem ısrarcı ve ısrarlı eşinden kurtulmak, hem de onun hayat sigortasının üstüne konup sürekli pahalı hediyeler isteyen âşığını memnun edebilmek.

İşte bu yüzden önce karısının yatağına zehirli bir yılan koyuyor. Yılan işi görüp ısırıyor karısını; ama acil tıbbi müdahaleyle kadın kurtuluyor. Sonra yemeğine 'bol miktarda' fare zehiri koyuyor. 'Şanslı' eş yine acil serviste hayata döndürülüyor. Çifteyle sekiz kez ateş ediyor. Ama tutturamıyor. Karısının otomobilinin frenlerini bozuyor. Burnu kırılan eş, kazayı atlatıyor! Adam tutup eve arı kovanı koydurtuyor. Tam 354 kez kendi mutfağında arılar tarafından sokulan kadın ölmüyor. Banyo küvetine elektrik veriyor, yine ölmüyor. Son olarak, bir kiralık katil tutuyor. Katil, kadını boğmaya çalışırken, kadın bayılınca, öldürdüm diye işi yarım bırakıyor. Kadın yani yine ölümden sıyırtıyor.

İşte böyle.

Bunlar olmaz zannetmeyin ayrıca. Okuduğum birkaç 'hakiki suç' kitabı 'sevgili' eşlerini öldürmeye muvaffak olmuş adamlar/kadınlar üstüneydi.

Amy Chesterson ise kocasının iyi bir adam olduğunu, kocasına çocuk veremediği için kocasının genç bir âşık bulmak durumunda kaldığını düşünüyor.

Şöyle diyor: "NORMALDE Walter, karınca bile incitmez. KADIN onu etkiledi. Ama kocamı HÂLÂ SEVİYORUM."

İşte ağır bir ruh kataraktı vakası!

Yazı bitince ellerinize, kollarınıza, saçlarınıza dokunun bakalım. Hâlâ seviyor musunuz? Hâlâ hayatta mısınız? Yoksa kaç yıl önce 'temizlenmiş' bir ruh kataraktı vakası mısınız? Bu yazıyı, yoksa hayaletiniz mi okuyor?

İÇİMİZDEKİ HEP O AYNI KARANLIK KUYU

Kontrol dışı davranışlarımızın göbeğine, bir ip sarkıtıp inip baktığımızda, çocukluktan, ergenlikten -ilk yaralanmalardan gelen yani- bir davranış kalıbının, arsızca yinelenmekte olduğunu görürüz.

Kırklı-ellili-neli yaşlarda da olsak işte, yaşadığımız bir olay, bir çirkinlik, bir kirlenme ve dengeyi yitirme hali, bizi ergenlik çağlarında edinilmiş takıntıların, kaygı ve kuşkuların, kontrol dışı kriz hallerinin kuyusuna ışınlar. Hep o aynı karanlık, ıslak, rahatsız edici aynı aynı kuyu. Artık yaşımızı başımızı 'almış' olduğumuzdan, hop diye düşmemişizdir üstelik o kriz kuyusuna. Başında dikilip bakmışızdır: "İşte o kuyu, hep aynı kuyu. Buralarda -bu kaygan, yosunlu, tekinsiz: bana ait bu kötü topraklardabiraz daha dolanırsam, ayağım her an kayabilir. Yuvarlanabilirim o çirkinlik, o kontrol dışılık kuyusundan içeri"- diye diye...

Kendi analizimizi yaparak yani. Buna vâkıf olarak. Kendi kendinin profesyonelliğiyle donatılmış olarak, evet, HER ŞEYE RAĞMEN, yuvarlanırız tepetaklak o kuyudan içeri.

Elimizde değildir. Şeytan dürtmüştür. Gözümüz kararmıştır. Nevrimiz dönmüştür. Basiretimiz bağlanmıştır.

Öncelikle kuyuyu çevreleyen topraklardan, bambaşka vadilere açılmayı bir süreliğine, becerememiş; etrafında dolanmış dolanmış ve sonra korktuğumuzu muhakkak başımıza getirerek, kontrol dışılığımızın o karanlık kuyusuna yuvarlanıvermişizdir.

O an kafamızın takılı olduğu 'düşmanın', 'rakibin', 'kötünün' bizi oraya itmesine, bizzat biz izin vermişizdir. Öncelikle o tekinsiz kuyuyu çevreleyen kuyu topraklarından uzaklaşmayarak. Çocukça bir inatla, karşılaşmada, denemede direnerek.

Kuyuya düştüğümüzde, kuyunun hiç değişmemesi, hep aynı çirkinlik, ıslaklık, soğukluk ve utanç kuyusu kalmış olması, şaşırtır bizi. Sonra da ayağımızın nasıl oldu da, kaymış olduğu standart hususu.

Bektaşi'likten Budizm'e bütün dini öğretilerin, nefsi terbiye etrafında dolanıyor olması, yani bir nevi böylesi göz kararmalarına karşı kişinin kendi kendine SAHİP OLMASI üstüne kurulu olması, boşuna değildir.

Boşuna değildir de, bazılarımız habire kendi kuyularına düşer durur.

• Onlar daha 'kuyulu' insanlardır. Kuyuları daha derin ve karanlık, kuyunun etrafındaki yosunlu topraklar onlar için tuhaf bir itme/çekme mekanizmasıyla, daha cazip, daha karşı konulmazdır.

• Kuyularını ne kadar ezbere ve ürpererek bilseler de, hâlâ merak ederler; (aynı mı, hâlâ öylesine rahatsız edici mi, beni hâlâ içine alıyor mu, düşürüyor mu) zira tuhaf bir şekilde ve ısrarla kendi kendilerini, kendi kontrol dışı, karanlık ve rahatsız edici yanlarını merak ederler.

• Onları kuyulu topraklara sevk eden durumun müsebbibi olarak (paranoyakça ya da haklı olarak) bir ya da birkaç kişiyi görür, o insanlardan öylesine şiddetle tiksinirler ki, onlara ancak kuyularına girerek, yani düşerek karşılık verebileceklerine, hükmederler. Ya da içine itildikleri kargaşa ve kirlilikten 'çivi çiviyi söker' misali, ancak kuyularının içine tepe taklak düşerek kurtulabileceklerini/bu durumla baş edebileceklerini/en azından kendilerine ait bir korkunçluğa kaçarak, en dibe vurma yöntemiyle, yeniden temiz ve müstakil vadilerine yükselebileceklerini tahayyül ederler.

Bütün bunlar, ne kadar üstüne bilinçle kafa yoruluyor olursa olsun, BİLİNÇDIŞI adlı, Alis'in mutlak topraklarında cereyan etmektedir.

Bu kuyularına yuvarlanmaktan kendini alıkoyamayan insanların bir özelliği de, temelde 'başarı' adı verilen o omnipotent ve kitlelerce tapılmakta olan Yeni Tanrı'yı iplememeleridir.

Onlar başarının o can sıkıcı yüzünü pek sık göremeseler de, başarıyı habire 'kazanan' başarıbağımlısı insanları habire görmek durumunda kalmakta, habire onların bu ağlarını her tarafa örmüş dininin vaazlarına maruz kalmakta; bu baskıcı egemenlikten için için (ve dışın dışın) tiksinmektedirler.

Bunca başarıya yazılı bir toplumsal hayata, evet esir düşmüşlerdir; ama başarıya tırmanmaya çalışmak yerine kendi kontrol dışılık kuyularına yuvarlanmak onlara hem daha estetik, hem daha arzu edilir, gelmektedir.

Oysa hep aynı kuyulara düşmeden de, egemenlere, 'düşmana', başarı tarikatının yapışıcı müritlerine karşı koymak mümkündür. Ama bu hem daha zor ve zahmetli, hem ne yalan söyleyelim öz kuyularına düşmek kadar kışkırtıcı ve akıl fikir açıcı, değildir.

HAYATIMIZIN PAMUK TELLERİ

Dün, acayip şeylere acayip sinirlendim. Birtakım göz kararması anları yaşadım. Bunca sinirlenmeme neden olan lagarlıkları yapanlara ağır konuştum; şudur budur. Bana has o göz kararması anları: Annemi, yaşadığı sürece öylesine üzmüş olan.

Benim içinse böylesine ağır sinirlenip ağır konuşabilme halleri hem tam da kontrolümde olmayan bir nevi sakatlık hali; hem de bu göz kararması hallerime neden olanların, söylediklerimi yaptıklarımı hak ettiklerine dair bir inanç da var içimde hep için için. Adaletsizlikle yapsam bu konuşmaları, diyelim hak etmeyenlere yapsam, pireyi deve yapıp yapsam, inme indirecek ruhuma, bir suçluluk duygusu yaşarım.

Dün suçluluk duygusu kısmı yoktu. Ağır lagarlık sendromundan mustarip sedrebeki ruhlar, hak etmişlerdi gazabımı.

Ama öylesine kızdım ki iki-üç saat boyunca, meydan muharebesi bittiğinde başım ağrıyordu. Ki hiç başım ağrımaz benim.

Sonra bugün...

Biliyorsunuz böyle aşırı kızgın ruhların hep bir ders alma sahnesi vardır filmlerde, romanlarda. Hayır. Bana olan bir şey değil de, Beşiktaş'ta bir adama araba çarptı. Ben arabayı, çarpışını görmedim. Müthiş şiddetli çarpmış.

Ben yerde yatan aile babasını gördüm yalnızca.

Yattığı yerden caddenin ortasında, gözlerindeki ağır hayret ifadesini gördüm: Az önce karşıdan karşıya geçmek için koşuyordum. Acelem vardı. Çok acelem vardı. Şimdi asfalta yapışmış yatıyorum. Burda yatıyorum. Biraz daha yatayım. Buraya yapışmış yatıyorum. Asfalta dayalı kulağımdan fışkıran kanların ıslaklığı ve sıcaklığı içinde. Bir daha kalkabilecek miyim? Yola devam edebilecek miyim? Yoksa öldüm mü ben? Az sonra ölecek miyim? diyen yüz ifadesini, gözlerini gördüm orda yatarken. Çok az gördüm. Beş-on saniye. Ben minibüsün içindeyim. O caddenin ortasında yatıyor. Ben hareket eden bir aracın içindeyim.

O, orda yatıyor.

Ben, devam ediyorum. İçinde bulunduğum araç, devam ediyor yoluna.

"Çok kötü çarptı," diyor şoför. "Sağ camı göçtü çarpan arabanın. Çok kötü düştü yere. Düşer düşmez kulağından kanlar fışkırdı."

"Ölür o," diyor şoförün yanında oturan yolcu.

"Mutlaka ölür. Çok kötü çarptı."

Onlar arabanın nasıl çarptığını görmüşler adama.

Adam, bir aile babası.

Aile babası, çünkü üstü başı çok temiz.

Aile babası, çünkü şişman. Karısı güzel börek yapıyor, pilav yapıyor, dolma yapıyor.

Acelesi var. Bir yere yetişecek. Orda, tam geçtiği yerde YAYALAR BURDAN GEÇMEYİN diyen bir levha var. Tam orda bir üstgeçit var. Ben de o üstgeçidi sırf kızım yanımdaysa kullanıyorum. Ben de tavşanlar gibi hoplayarak -İstanbul usulü- karşıdan karşıya geçiyorum.

Araçlara yeşil yanarken fırlamış arabanın önüne. Belki çok mühim bir iş randevusuna koşturuyordu. Esnaftır. Demir atölyesi vardır belki de. Tertemiz gömleğinin üst cebinden bir Maltepe fırlamış. Başının yanıbaşında yatıyor sigarası.

Caddede olsam, sigarasını gömleğinin üst cebine sokmaya çalışmaktan korkuyorum.

Ben kanlı bir kafayı alıp kucağına, öyle hani teselli edici melekler vardır, onlardan değilim kesinlikle.

Sigarasını cebine yerleştirmek gibi bir düzenleme çalışması... Bu kadarı gelir, elimden.

Bu şişman aile babasına hiçbir şey olmaması için dua etmeye başlıyorum.

Onca koşturduğu yere yetişemeyecek artık.

Karısını arayacaklar. Evde karısı o hepimizin en almak istemediği telefonu alacak: "Kocanız hastanede. Araba çarptı."

"Kurtulur," diyorum ben.

"İnşallah kurtulur," diyor şoför.

"Gitti o. Gitti," diyor yan koltuk.

Gel de şimdi doktorlara meftun olma. Onların göstereceği cansiperane çabalarla... Bir aile babası yuvasına dönebilir. Yine Maltepe sigarasını içip, küçük kızını kucağında hoplatarak karısının pişirdiği ıspanaklı börekleri yiyebilir. Hayatlarımız kesinlikle pamuk ipliklerine bağlı. Böyle bir telefon, hayatlarımızı bir karpuz gibi ortadan ikiye bölebilir.

Ben kızgınlıklarımın gemlenmesine dair ders filan çıkarmadım. Yalnızca bu aile babası kurtulsun istiyorum. Şoför: "Orda durmasaydık görmeyecektik kazayı," dedi. Ben gördüğüm için şikâyetçi değilim. Dualarımı göndermiş oldum. Parça parça içimin tüm parçalarıyla, bu adam kurtulsun istiyorum. Bu kadar işte.

SUÇLULUK DUYMAK

İngilizce 'guilt'in karşılığında, pişmanlık duymak da bulunuyor. Yani pişmanlığı da mutlaka içinde barındıran bir duygu, bu.

Belki tüm ağırlığıyla Hıristiyanlığın, insanların doğduğu anda omuzlarına yüklediği Original Sin'in (İlk Günah) bir faydası vardır. Belki İslamiyet, çok daha dünyevi bir ağırlıkla donatarak, çok daha hafifletiyor müritlerini. Belki bu 'hafiflik' duygusu, o denli yararlı değil: Aşırı bu dünyaya, varolduğumuz zaman ve mekâna ait olma hali. Ruhen daha sağlıklı ve sağaltıcı olabilir; ama yüzde yüz hafifletici, inceltici bir etkisi var, spiritüel bir 'tiner' gibi.

Bu karmakarışık, pseudo felsefik giriş müsveddesinden sonra, Bir İlahiyat Denemecisi Olarak Felsefe Tembelinin Portresi; suçluluklarımıza, suçluluğa, suçluluğuma gelelim.

Her ölünün ardından, sevilen (ya da sevilmeyen); ama işte sizin için temel, her ölünün ardından, insan şunu dilemiyor mu?

"Onunla bir 24 saat daha isterdim. O'na benim için ne denli mühim olduğunu anlatabileceğim, bir 24 saat daha."

Annem, Yalıkavak Pazarı'nda kızımla ve iki arkadaşıyla hoplayıp zıplayıp alışveriş ederken, beyin kanaması geçirdi. (Sonra çantasından, alışveriş listesi çıktı. Her zaman hazırladığı o listelerden sonuncusu.)

Onu ertesi sabah Milas Devlet Hastanesi'nde bulduğumda (ve ameliyata alınıncaya kadar) bilinci açıktı. Yanakları, Bodrum'un dağlarında yaptığı yürüyüşlerden pembe pembeydi. Keyfi yerindeydi. Konuşup şakalaşıyordu. Zaten son 1.5-2 yıldır 'yakında gideceğine' (öleceğine yani) inanıyordu ve çok dengeli, çok mesuttu.

Ben büyük bir Anne Kurtarma Operasyonu'yla karşısına dikildim. İstanbul'dan kalkan bir ambulans uçakla yine İstanbul'a götürülecek ve anevrizma ameliyatı geçirecekti. Plan buydu! Uygulayacaktım.

Annem: "Benim annem olsa ameliyat ettirmezdim," dedi.

Ben: "Bu, benim annem. Ben ameliyat ettireceğim," dedim.

Annem ambulansuçakta bir arkadaşının başına tofu sarmasını önerdiğini, canının bira istediğini filan anlattı; o aletin oldukça hoş doktoruna.

O gece İstanbul'da tuhaf mı tuhaf bir hastanede (Çapa Nöroşirurji'nin ameliyathanesi 'tamirat' nedeniyle 6 aylığına kapalıydı) sabaha kadar konuşup gülüştük. Çok tatlıydı.

Ama mesela koynuna girip onun yatağında uyusaydım. Refakatçi çekyatında değil.

Sonra annemi ameliyata aldılar. Allah'tan, Allah'tan ameliyatı yapan çok güvendiğim bir cerrah, sevgili ve eski bir arkadaşımdı. Yani ameliyatına dair hiçbir paranoya yok içimde.

Annem beyin kanamalarının 4. ve en ağır tipinden geçirmişti. Ameliyat sonrası olabilecek her türlü pis komplikasyon oldu. Bir hafta sonra da sol lobunda ikinci bir kanama! Mutlaka imkânsız; ama bir ameliyat daha.

Annem, bu iki ameliyatın ardından bilinci kapanmış bir lahana bebek olarak tam 1.5 ay Çapa Reanimasyon'da yattı.

Ben annemi orda öyle yatar göreceğime, ölsün! istedim. Şimdi kristal bir kürem olmadığı için, insan böyle ağır durumlarda eforik olup bir umuda esir düştüğü için, mutlaka bir şeyler, bir şeyler yapılsın istediği için; suçluluk duyuyorum.

Annem, Gölköy'deki evimize dönelim istedi. Onu hayat boyu dinlemediğim gibi, son kez de dinlemedim. (Yoksa hep dinledim mi?)

Oysa annem bir gün daha, iki gün daha evinde, kendi yatağında uyusun, orda ölsün -insanın KENDİ yatağında ölmesinden daha güzel bir şey var mı- isterdim. İstedim. Sonradan yani.

Melek, ben, annem Somer'de çipura yerdik. Salata ve köy baklavası. Annem, bira içerdi; ben, şarap. Anneme vermediğim, veremediğim o son 24-48: kaç saatse, O. Bunun, azabı hep içimde. Onu, evet, köpekler gibi özlüyorum. Onu salt sevmedim. Asla! Ondan şiddetle nefret de ettim. İlişkimizde eksik kalan hiçbir duygu yoktu. Ama o son 24 saat, 48 saat eksik kaldı. Benim girişimciliğim, iş bitiriciliğim, bok yediciliğim yüzünden eksik kaldı.

Arkadaşımla konuşuyoruz. Babasının ölümünden sonra AYNI şeyleri hissetmiş. Babası çok başarılı bir kalp ameliyatı geçirmiş. Çok başarılı bir müdahale daha. Çok gerekli bir tedavi daha. Tam iyileşti derken...

Modern tıbba peki, fazlasıyla yüklenmiyor muyuz? Aşırı bir iştah ve hırsla, hayatları fazlasıyla, fazlasıyla peki; çekiştirmiyor muyuz?

Tamam. Hep 'kurtarma' güdüsü. İşbaşında. Bir yerlerden çekiştirip hayata döndüreceğiz illa. Peki artık kimse yatağında, ölemeyecek mi? Güzel bir ölüm, çoluğu çocuğuyla evinde ve son bir 24 saat: tüm o acil müdahalelerden, daha değerli ve mühim değil mi?..

ALBÜMALTI

Kemal Derviş, Financial Times'a, "IMF tarafından iki yıl içinde Türkiye'ye yapılan bu üçüncü yardım, GÖNÜLSÜZCE veriliyor. Türkiye'deki herkesin, bu desteğin önemini YETERİNCE anladığını zannetmiyorum," demiş. Miş. Miş.

Türklerde tabii, böyle bir sorun var: Mühim şeylerin önemini YETERİNCE kavramama. Tabii 'yeterince' işi yumuşatmaya yönelik bir kibarlık kalkanı, burada.

Türkler, bir sürü şeyin önemini anlamıyorlar. Nokta. Günü kurtarmaya yönelik, ânı kurtarmaya, öyle çocuksu bir toplum. Belki de yüz yıllar, bin yıllar süren göçebeliğin neticesinde oluşmuş genetik bir deformasyondur: 'Benden ötesi tufan,' genidir. 'Bana dokunmayan yılan bin yaşasın,' umursamazlığıdır. 'Her koyun kendi bacağından asılır,' kaygısızlığıdır. Aldırışsızlığıdır.

Havalar iyice güzelleşti ya, ölüm oruçları iyice çıktı gündemimizden. Binlerce insanın sorununun ANCAK öldükleri zaman hatırlanması, konuşulması, tartışılması, gündeme gelmesi; ne acı değil mi? Allahım ne acı! bu dahi, 'içerdekilerin' dışardakilere seslerini duyurmak için, canlarını ipin ucunda sallandırmak dışında, hiçbir çareleri olmadığının kanıtı değil midir? Bu dahi, bu 'teröristlerin' iddialarındaki doğruluk payını göstermez mi? Bu sesleri duyup dinleyemez miyiz adam gibi yani? Onlar can vermeden, bu meseleyi çözümleyemez miyiz?

Ölüm oruçları dışında gündemin hiçbir maddesinin (para! para! para!) umurumda olmadığı günlerdeyim. Tüm o ekonomik gerilim ve mutlu son ve fakat tedbirli dönemeçler ve uyarılar, akşam haberlerinde karşımda vızıldamaya başladılar. Öyle kulaklarıma tam nüfuz edemeyen bir vızıltı hali.

İnsan haklarını, işçi haklarını, memur haklarını, demokratikleşmeyi böylesine boş vererek, YOK SAYARAK hiçbir ekonomik devrimin gerçekleşmeyeceği kanaatindeyim. Biri birini dışlamıyor kesinlikle. Ama sırayla değil, PARAYLA diye düşünülüyor olsa gerek. Hata ediliyor. Türkiye'ye Avrupa Birliği'nin kapılarını kapayan, insan hakları karnesindeki zayıflardır. Telekom'un özelleştirilip özelleştirilmemesinden ziyade. Ziyade.

Ekonomide şeffaflık, öbür alanlarda bunca fluluk varken tabii ki sağlanamaz. Tüm bu gelişmeler bir bütündür. Öyle ele alınmalıdır. PARA mevzuuna bunca endekslenen bu küçük hırslar toplumu; insan haklarını, Kürt meselesini, F tiplerini, işkenceyi, falakayı, kadın haklarını 'ikinci sınıf' gördüğü sürece, muhakkak birinci sınıf bir toplum olamayacaktır.

'Sen bize paradan haber ver. Gerisini boşver abla.'

Ben ise beni sual edecek olursanız, albümaltıyım. Günlerdir

kızımın ve tabii annemle kızımın albümlerini yapmakla meşgulüm.

Ki, kolay değil.

Bunca zaman el atmadığım bir mevzuydu.

Evet! Kızımın bebekliğini özlüyorum, bebeklik fotoğraflarına bakarken. O şuur öncesi zamanlarını, annesinin koynunda yaşadığı günlerini özlüyorum. Sonra annem var o resimlerde. Resimlerde gözüken saksılar duruyor, ağaçlar duruyor, oyuncaklar, takılar, yastıklar...

Ama annem yok. Ölümün adaletsizliği insanı, tıkıyor. Nefessiz, takatsiz bırakıyor.

Annem fotoğrafların çoğunun arkasına notlar düşmüş.

Melek'e hitaben.

'Su değirmeninin kıyısı, gülüm' - yazıyor.

'Odun fırını. Ekmekler ve sen güzelim' - yazıyor.

'Ağva - Hacıllı Köyü. Mangal kömürü yapma yeri. Odunlar için için yanıp mangal kömürü olacak,' yazıyor.

'Anadolukavağı. Yeni doğmuş kediler ve sen,' yazıyor.

Katır tırnaklarının arasında. Gittikleri bir sergide. O renkli, o dörtnala hayatına Melek'i katmış, resimleyip durmuş.

Habire: 'İyi ki varsın,' diyor. Bir resmin arkasına da: 'Unutma beni gülüm, güzelim' yazmış.

Unutma beni.

Bir de annemin takılarını muhtelif kutulara yerleştiriyorum bugünlerde. Aynı anda 3 gümüş kolye birden takan, o çok takılı kadınlardandı annem. Çok severim takılı kadınları ben.

Takılar püskürürler benim üstümden. Ben takamam. Ama takılı kadınları severim, işte.

'Unutma beni' yazmış annem kızıma. Annem gitti. Gümüşler duruyor. Kül tablaları. Tablolar. Kitaplar.

Oyuncaklar. Saksılar. Her türlü saçma şey duruyor, oysa annem gitti.

Ölümün geri dönüşsüzlüğü, içimi dağlıyor.

Albümaltıyım bugünlerde. Ekonomi zart zurt umurumda değil.

NEYİ YETİŞTİREMEDİM BEN?

Böyle insanın içinin alabildiğine huzursuz olduğu anlar var, günler var, zamanlar var.

İçinde hep bir kaygı. Endişe. Fikfiklenme. Didilme hali. İçinin hop oturup hop kalkması, seni rahat bırakmaması hali.

Şöyle bir hal: Bir şey vardı, yapmam gereken bir şey iki şey vardı. Yetiştirmem gereken bir ev ödevi. Tamamlamam gereken yaz ödevi. İşte gün bitti. Elektrikler kesilmedi. Ama ödevim hazır değil. Hem neydi ki ödevim? Yetiştirmem gereken iş, vazife: Öyle bir durum olduğunu hatırlıyorum. Onun huzursuzluğu içindeyim. AMA: NEYDİ O ÖDEV? Gerçi artık yapmam için çok geç. Ama işte ağlamaklıyım. Zira YETERİNCE disiplinli değilim. Yeterince organize değilim. Yeterince işlerime güçlerime müdrik değilim.

Hakikat şu ki, hiçbir şeye yetmiyorum, yetişemiyorum. Oturup hüngür hüngür ağlamak istiyorum. Ama korkarım, o kadar yoğunlaşabilmiş de değilim.

Öyle bir rahatsız edici gecikmişlik hali. Tam adını koyamadığımız, tam da çıkaramadığımız ödevleri tamamlayamamışlık, daha fenası ve incitisi, yarı tamamlamışlık, biraz şişirerek ne bileyim, biraz -olmamış işte tam istediğimiz gibi... Yapmışız vazifeleri, yanına birer tik atmışız; ama rahat değil işte içimiz.

Bir şey vardı. Neydi o? Tamamına erdirmem gereken bir durum daha? Tam olarak hatırlamıyorum. Ama beni rahat bırakmayan huzursuzluğu, tam da şuramda. Huzursuzluk işte, kaygı hali -yakamda. Tam yakamda. Onunla dolaşıp, onunla oturup kalkıyorum. Hiçbir yerde TAM orada değilim. Bu hatırlayamadığım, tam da çıkaramadığım o işi, işleri mükemmelen bitirememiş olma hali, her yerden, her şeyden alıkoyuyor beni. Görünürde koymuyor. Oralardayım. Ama işte tüm olarak değil. O huzursuzluk ortadan ikiye ayırmış beni. Yarımla buradayım. Diğer yarım yırtış yırtış. Kötüyüm yani. Fizik sınavına hazır olmadan, hiçbir haltı tam olarak anlamadan yatağa giriyor olma hali...

Ben şey de diyorum özellikle son sıralarda yakamdan düşmeyen bu ağır huzursuzluk haline, Pazar Gecesi Dallas'tan Sonraki Panik Hali de, diyorum.

Ben ortaokuldayken pazar geceleri Dallas vardı. Hayatlar, o geceler, o dizinin etrafında mevzilenirdi.

Cuma akşamı geçmiş işte, cumartesi günü geçmiş; Pazar günü, günlerin okullu çocuklar için en çekilmezi -o ağır anne babalı yapışkan ve şişman gün, o da geçmiş. Muhtelif zaman öldürme adalarında mahsur kalmışsın. Evet! hiç de öyle eğlenceli işler yapmamış, harika durumlar filan yaşamamışsın. Zaten zavallı bir mahkûmsun: Yeniyetmeliğe, annenle babanla didişmelere çekişmelere, izin aldın almadın, şu saatte gittin, bu saatte geldin; didişmiş durmuşsun.

Sonra kendini, televizyonun, o korkunç, o kaçınılmaz Dallas'ın karşısında bulmuşsun. Dallas bittiğinde, ki artık berbatlı bir hafta sonunun da o sinsi biteviyeliği, acıtıcılığı, kaçınılmazlığı üstünde; telefon çalar. Mutlaka çalar, senin için.

Açarsın. A! senin kadar olamamış olduramamış en yakın arkadaşın! Matematik sınavını sorar! Biyoloji ödevini sorar! Haince sorar işte. Zira seninle aynı gemidedir. Matematiğin kapağını açmamıştır. Fransızcacıdan senin kadar nefret etmektedir. Hayır, tabii ki biyoloji ödevini yapmamıştır. Dallas bitmiştir. Vakit ergenlik çağında debelenenler için uyku vakti olmasa da, eh uykuya az kala vaktidir.

Arkadaşın işte bütün o zavallı hafta sonunu, sonra da tahammülfersa pazar gününü zehirlemiş olan soruyu, sözüm ona tam olarak yüzleşmemek için nasıl didiklendiğin soruyu sorar:

"Matematiğe baktın mı kızım?"

Çalıştın mı değil (o kadar hain değil), BAKTIN MI? Bakmadım Aliye. Aynen senin gibi. Her hafta yaşadığımız Dallas sonrası terörünün içinde apışıp kaldık işte yine. Korkularımız, başımızdan aşağı iniverdi. Yok. Bakmadım.

İşte, böylesine eski, hakikatli bir tedirginlik bu. Pazar Akşamı Dallas Sonrası Tedirginliği. Dehşetten daha hafif. Ama daha incitici. Daha dağınık. Daha başıboş. Daha ne idüğü belirsiz.

Hâlâ gördüğüm o rüya gibi: Hayır üniversiteyi bitirememişim. Buyrun diyorlar matematikten, 141 ve 142'den (ben okurken kodu buydu, giriş matematiğinin) geçmediğin anlaşıldı. Tekrar sınava!

Kalbim korkuyla burkularak -utanç içinde: meğer var zannettiğim üniversite diplomam aslında yokmuş- uyanıyorum.

Yok diyorum. Hallettim ben o işi. Geçtim o derslerden. Diplomamı da aldım.

Ama klasik bir korku rüyası işte. Tamamlamış olsan da, tamamlayamadığına dair.

Bir çocuk kâbusu. Hiç büyümeyen. Hep aynı kâbus. Yapmıştım. Ama tamam mı? Oldu mu peki? Oldu mu? Zannetmiyorum. Zannetmiyorum. Ne korkunç! Yaptım sanıyordum. Ama... Aslında...